Robert Seethaler • Der Trafikant

Robert Seethaler
Der Trafikant

Roman

KEIN & ABER
POCKET

Ebenfalls von Robert Seethaler:
Die Biene und der Kurt
Die weiteren Aussichten
Jetzt wirds ernst

1. Auflage November 2013
2. Auflage November 2013
3. Auflage Januar 2014
4. Auflage März 2014
5. Auflage Juli 2014
6. Auflage August 2014
7. Auflage September 2014
8. Auflage Oktober 2014
9. Auflage Dezember 2014
10. Auflage Januar 2015
11. Auflage März 2015
12. Auflage März 2015
13. Auflage Juni 2015
14. Auflage Juli 2015

Alle Rechte vorbehalten
Copyright © 2012 by Kein & Aber AG Zürich – Berlin
Coverbild: Rudolf Spiegel © Bezirksmuseum Ottakring
Satz: Fotosatz Amann, Aichstetten
Druck und Bindung: CPI – Ebner & Spiegel, Ulm
ISBN 978-3-0369-5909-2
Auch als eBook erhältlich

www.keinundaber.ch

Für Leo

An einem Sonntag im Spätsommer des Jahres 1937 zog ein ungewöhnlich heftiges Gewitter über das Salzkammergut, das dem bislang eher ereignislos vor sich hin tröpfelnden Leben Franz Huchels eine ebenso jähe wie folgenschwere Wendung geben sollte. Schon beim ersten fernen Donnergrollen war Franz in das kleine Fischerhaus gelaufen, das er und seine Mutter in dem Örtchen Nußdorf am Attersee bewohnten, und hatte sich tief ins Bett verkrochen, um in der Sicherheit seiner warmen Daunenhöhle dem unheimlichen Tosen zuzuhören. Von allen Seiten rüttelte das Wetter an der Hütte. Die Balken ächzten, draußen knallten die Fensterläden, und auf dem Dach flatterten die vom dichten Moos überwachsenen Holzschindeln im Sturm. Von Böen getrieben, prasselte der Regen gegen die Fensterscheiben, vor denen ein paar geköpfte Geranien in ihren Kübeln ersoffen. An der Wand über der Altkleiderkiste wackelte der eiserne Jesus, als könnte er sich jeden Augenblick von seinen Nägeln losreißen und vom Kreuz springen, und vom nahen Ufer war das Krachen der Fischerboote zu hören, die von den aufgepeitschten Wellen gegen ihre Uferpflöcke geschleudert wurden.

Als sich das Gewitter endlich ausgetobt hatte und sich ein erster zaghafter Sonnenstrahl über die rußschwarzen, von Generationen schwerer Fischerstiefel ausgetretenen Dielen bis an sein Bett heranzitterte, rollte sich Franz in einem kleinen Wohligkeitsanfall zusammen, nur um gleich darauf seinen Kopf unter der Decke hervorzustrecken und sich umzuschauen. Die Hütte war stehen geblieben, Jesus hing noch immer am Kreuz und durch das mit Wassertropfen besprenkelte Fenster leuchtete ein einzelnes Geranienblütenblatt wie ein zartroter Hoffnungsschimmer.

Franz kroch aus dem Bett und ging zur Kochnische, um einen Topf Kaffee mit fetter Milch aufzukochen. Das Brennholz unter dem Herd war trocken geblieben und flammte auf wie Stroh. Eine Weile starrte er in das helle Flackern hinein, als mit einem jähen Kracher die Tür aufflog. Im niedrigen Türrahmen stand die Mutter. Frau Huchel war eine schmale Frau in den Vierzigern, immer noch ganz ansehnlich, wenngleich auch schon etwas ausgemergelt wie die meisten Einheimischen, denen die Arbeit in den umliegenden Salzminen, den Viehställen oder den Küchen der Sommerfrischlerwirtshäuser zugesetzt hatte. Sie stand einfach nur da, eine Hand an den Türpfosten gelehnt, keuchend und mit leicht gesenktem Kopf. Die Schürze klebte an ihrem Körper, über ihre Stirn liefen die Haare in wirren Strähnen, und von ihrer Nasenspitze lösten sich einzelne Wassertropfen. Im Hintergrund ragte düster der Schafberg ins Wolkengrau, in dem da und dort schon wieder blaue Flecken auftauchten. Franz musste an das schief verschnitzte Marienbild denken, das irgendjemand in alten Zeiten an den Türstock der Nußdorfer Kapelle genagelt hatte und das mittlerweile fast bis zur völligen Unkenntlichkeit verwittert war.

»Bist nass geworden, Mama?«, fragte er und stocherte mit einem grünen Zweig im Herdfeuer herum. Die Mutter hob den Kopf, und da sah er, dass sie weinte. Die Tränen vermischten sich mit dem Regenwasser, und ihre Schultern bebten.

»Was ist denn passiert?«, fragte er erschrocken und stopfte den Zweig ins aufqualmende Feuer. Statt einer Antwort stieß sich die Mutter vom Türrahmen ab, kam mit ein paar unsicheren Schritten auf ihn zu, blieb dann aber mitten im Raum wieder stehen. Für einen Moment schien sie sich suchend umzusehen, dann hob sie mit einer hilflosen Geste ihre Hände und ließ sich nach vorne auf die Knie fallen.

Franz tat einen zögerlichen Schritt, legte seine Hand auf ihren Kopf und begann ungeschickt über ihr Haar zu streicheln.

»Was ist denn passiert?«, wiederholte er heiser. Plötzlich kam er sich seltsam und dumm vor. Bislang war es umgekehrt gewesen: Er hatte geheult, und die Mutter hatte ihn gestreichelt. Ihr Kopf unter seiner Handfläche fühlte sich zart und zerbrechlich an, unter ihrer Kopfhaut spürte er das warme Pulsieren.

»Er ist ertrunken«, sagte sie leise.

»Wer?«

»Der Preininger.«

Franz hielt inne. Ein paar Augenblicke ließ er seine Hand noch auf ihrem Kopf liegen, dann zog er sie zurück. Die Mutter strich sich die Strähnen aus der Stirn.

Dann stand sie auf, nahm einen Zipfel ihrer Schürze und wischte sich damit übers Gesicht.

»Du verräucherst uns ja die ganze Hütte!«, sagte sie, nahm den grünen Zweig aus dem Herd und schürte das Feuer.

Alois Preininger war nach eigenen Angaben der reichste Mann im Salzkammergut. Tatsächlich war er nur der drittreichste, was ihn zwar maßlos ärgerte, ihn aber zu dem ehrgeizigen Stierschädel hatte werden lassen, als der er bekannt und berüchtigt war. Ihm gehörten ein paar Hektar Wald- und Weidefläche, ein Sägewerk, eine Papierfabrik, die vier letzten Fischereibetriebe der Gegend, eine unbekannte Anzahl größerer und kleinerer Seegrundstücke mitsamt dazugehörender Bebauung sowie zwei Fährschiffe, ein Ausflugsdampfer und das einzige Auto im Umkreis von angeblich über vier Kilometern: ein prächtiger, bordeauxroter Wagen der Firma Austro-Daimler, der allerdings wegen der vom salzkammerguttypischen Dauerregen ständig ausgewaschenen Straßen in einer rostigen Blechbaracke vor sich hin dauerte.

Alois Preininger waren seine sechzig Jahre nicht anzusehen, immer noch stand er voll im Saft. Er liebte sich selbst, seine Heimat, gutes Essen, starke Getränke und schöne Frauen. Wobei das mit der Schönheit eher subjektiv und daher relativ war. Im Grunde genommen liebte er alle Frauen, weil er eben auch alle Frauen schön fand. Franz' Mutter hatte er vor Jahren beim großen Seefest kennengelernt. Sie stand unter der alten Linde, trug ein himmelblaues Kleid, und ihre Unterschenkel waren so hellbraun, glatt und makellos wie das mit Holz verkleidete Lenkrad des Austro-Daimler. Er bestellte frischen Bratfisch, einen Krug Most und eine Flasche Kirsch, und während sie aßen und tranken, versuchten sie erst gar nicht, aneinander vorbeizuschauen. Kurz danach tanzten sie Polka und später sogar Walzer und flüsterten sich dabei kleine Geheimnisse ins Ohr. Dann spazierten sie Arm in Arm um den sternengetupften See und fanden sich unvermutet in der Blechbaracke und gleich darauf im Fond des Austro-Daimler wieder. Der Rücksitz war breit genug, das Leder weich, die Blattfedern gut geschmiert, alles in allem war die Nacht ein Erfolg. Von da an trafen sie sich immer wieder in der Baracke. Es waren kurze, eruptive Zusammenstöße, die mit keinen Forderungen und keinen Erwartungen verbunden waren. Für Frau Huchel hatten diese angenehm verschwitzten Zusammenkünfte auf dem Rücksitz allerdings noch einen weiteren, fast noch ein bisschen angenehmeren Nebeneffekt: Pünktlich zu jedem Monatsende flatterte bei der Nußdorfer Sparkasse ein Scheck über einen nicht unerheblichen Betrag ein. Dieser regelmäßige Geldsegen ermöglichte ihr, die ehemalige Fischerhütte direkt am Seeufer zu beziehen, einmal täglich warm zu essen und zweimal im Jahr mit dem Bus nach Bad Ischl zu fahren, um sich im Café Esplanade eine heiße Schokolade und im nebenan gelegenen Stoffladen ein paar Meter Leinen für ein neues Kleid zu gönnen. Für ihren Sohn Franz wiederum hatte Alois Preiningers Liebesgroßzügigkeit den Vorteil, dass er nicht wie all die anderen jungen Burschen den ganzen Tag in irgendwelchen Salzstollen oder Misthaufen herumkriechen musste, um sich ein kärgliches Auskommen zu verdienen. Stattdessen konnte er von früh bis spät durch den Wald spazieren, sich auf einem der Holzstege die Sonne auf den Bauch scheinen lassen oder bei schlechtem Wetter einfach im Bett liegen bleiben und seinen Gedanken und Träumen nachhängen. Doch damit war es jetzt vorbei.

Wie seit fast vierzig Jahren – unterbrochen nur von einigen wenigen widrigen Ereignissen, wie dem ersten Weltkrieg oder dem Großbrand im Sägewerk – hatte Alois Preininger auch diesen Sonntagvormittag am Stammtisch des Wirtshauses *Zum Goldenen Leopold* verbracht, hatte einen Rehbraten mit Rotkraut und Serviettenknödel sowie acht Krügel Bier und vier Doppeltgebrannte zu sich genommen und mit seiner tief tremolierenden Bassstimme allerhand Bedeutendes über die oberösterreichische Volkstumspflege, den sich wie Krätze in ganz Europa ausbreitenden Bolschewismus, die vertrottelten Juden, die noch vertrotteleren Franzosen und die geradezu grenzenlosen Entwicklungsmöglichkeiten im Fremdenverkehrsgeschäft zum Besten gegeben. Als er dann schließlich um die Mittagszeit etwas schläfrig auf dem Uferweg nach Hause wankte, war es merkwürdig still um ihn herum. Keine Vögel waren zu sehen, keine Insekten zu hören, und sogar die Schmeißfliegen, die noch im Wirtshaus seinen schweißglänzenden Nacken umschwirrt hatten, waren verschwunden. Der Himmel hing schwer über dem See, die Wasseroberfläche lag völlig glatt da. Selbst das Schilf bewegte sich nicht. Es war, als ob die Luft geronnen wäre und die ganze Landschaft in ihre stille Bewegungslosigkeit eingeschlossen hätte. Alois dachte an die Schweinesülze im *Goldenen Leopold*: Die hätte er bestellen sollen, und nicht den Rehbraten, der ihm jetzt trotz der Doppeltgebrannten wie ein Ziegelstein im Magen lag. Mit dem Hemdsärmel wischte er sich den Schweiß von der Stirn und blickte über die Wasserfläche, die sich samtigweich und schwarzblau vor ihm ausbreitete. Dann zog er sich aus.

Das Wasser war angenehm kühl. Alois schwamm mit ruhigen Zügen und schnaufte in die geheimnisvolle, dunkle Tiefe unter ihm. Als er ungefähr in der Mitte des Sees angelangt war, fielen die ersten Tropfen und nach weiteren fünfzig Metern schüttete es bereits wie aus Kübeln. Ein gleichmäßiges Prasseln lag über der Wasseroberfläche, schwere Tropfeneinschläge, dicke Regenschnüre, die die Schwärze des Himmels mit der Schwärze des Sees verbanden. Wind kam auf und wurde bald zum Sturm, der die Wellenkämme zu Schaum schlug. Ein erster Blitz tauchte den See für einen Augenblick in ein unwirkliches, silbriges Licht. Der Donner war ohrenbetäubend. Ein Krachen, das die Welt auseinanderzureißen schien. Alois lachte auf und planschte wild mit Armen und Beinen. Er schrie vor Vergnügen. Noch nie hatte er sich so lebendig gefühlt. Das Wasser um ihn herum brodelte, der Himmel über ihm stürzte zusammen, aber er lebte. Er lebte! Er bäumte seinen Oberkörper aus dem Wasser und juchzte in die Wolken hinauf. Genau in diesem Moment schlug ein Blitz in seinen Kopf ein. Eine strahlende Helligkeit füllte sein Schädelinneres aus, und für den Bruchteil einer Sekunde fühlte er so etwas wie eine Ahnung von Ewigkeit in sich aufsteigen. Dann blieb sein Herz stehen, und mit einem erstaunten Gesichtsausdruck und eingehüllt in einen Schleier zartglitzernder Luftbläschen sank er auf den Grund.

Das Begräbnis fand auf dem Nußdorfer Gemeindefriedhof statt und war gut besucht. Viele Menschen aus der Gegend waren gekommen, um Alois Preininger zu verabschieden. Vor allem versammelten sich auffällig viele schwarz verschleierte Frauen um das Grab. Es wurde viel geweint und geschluchzt, und Horst Zeitlmaier, der dienstälteste Sägewerkvorarbeiter, legte die drei Fingerstummel seiner rechten Hand an die Brust und rang sich mit zittriger Stimme ein paar Worte ab: »Der Preininger war ein guter Mann«, sagte er, »hat, soweit man weiß, nie jemanden bestohlen oder betrogen. Und seine Heimat hat er geliebt wie kein zweiter. Schon als kleiner Bub ist er so gerne in den See gesprungen. Am letzten Sonntag zum allerletzten Mal. Jetzt wohnt er beim lieben Gott, und wir wünschen ihm alles Gute. Im Namen des Vaters, des Sohnes und des Heiligen Geistes, Amen!«

»Amen!«, antworteten die anderen. »Dabei hat er doch noch so einen Appetit gehabt!«, flüsterte jemand, und die Umstehenden nickten betroffen. Unter einem der schwarzen Schleier drang ein würgendes Schluchzen hervor, da und dort wurden noch ein paar Worte gewechselt – dann ging man auseinander.

Auf dem Heimweg lüftete Franz' Mutter ihren Schleier und blinzelte mit roten Augen ins Sonnenlicht. Der See lag ruhig und matt schimmernd da. Im niedrigen Wasser stand ein Reiher und wartete reglos auf den nächsten Fisch. Am anderen Ufer tutete einer der Fährdampfer zum Ablegen. Der Schafberg stand dahinter wie gemalt und Schwalben flitzten durch die klare Luft.

»Der Preininger ist gegangen«, sagte sie und legte ihre Hand auf Franz' Oberarm, »und die Zeiten werden nicht besser. Es liegt was in der Luft.« Unwillkürlich richtete Franz seinen Blick nach oben. Doch da war nichts. Die Mutter seufzte. »Du bist jetzt schon siebzehn Jahre alt«, sagte sie. »Aber du hast immer noch ganz zarte Hände. Zart und weich und weiß, wie von einem Mädchen. So einer wie du kann nicht im Wald arbeiten. Auf dem See schon gar nicht. Und die Sommerfrischler können auch nichts anfangen mit so einem.« Sie waren inzwischen stehen geblieben, immer noch lag ihre Hand warm und leicht an seinem Arm. Drüben hatte die Fähre abgelegt und begann langsam über den See zu stampfen.

»Ich hab ein bisserl nachgedacht, Franzl«, sagte die Mutter. »Es gibt da einen alten Freund. Der hat vor ewig langer Zeit eine Saison bei uns im See verplanscht. Otto Trsnjek heißt er. Und dieser Otto Trsnjek hat mitten in Wien eine Trafik. Eine richtige Trafik, mit Zeitungen, Zigaretten und allem Drum und Dran. Das alleine wär ja schon nicht schlecht, aber was das Ganze noch viel besser macht: Er schuldet mir einen Gefallen.«

»Wofür denn?«

Die Mutter zuckte mit den Achseln und zupfte sich

mit spitzen Fingern eine Schleierfalte zurecht. »Die Saison damals war heiß, und wir waren jung und recht dumm im Schädel ...«

Am Ufer ruckte der Reiher plötzlich mit seinem Kopf, stach mit dem Schnabel ein paar Mal in die Luft, breitete die Flügel aus und hob ab. Eine Weile verfolgten sie seinen Flug, bis er schließlich abtauchte und hinter dem Schilfstreifen verschwand.

»Mach dir keine Gedanken, Franzl, das war lange bevor du mir in den Schoß gefallen bist«, sagte sie. »Jedenfalls hab ich ihm geschrieben. Dem Otto Trsnjek nämlich. Ob er eine Arbeit hat für dich.«

»Und?«

Statt einer Antwort griff sich die Mutter unter ihre schwarze Strickweste und zog einen amtlich aussehenden Zettel hervor. Es war ein Telegramm mit blauen, akkuraten Druckbuchstaben: DER BUB SOLL KOMMEN STOP ABER NICHT ZU VIEL ERWARTEN STOP DANKE STOP OTTO STOP

»Und was heißt das jetzt?«, fragte Franz.

»Das heißt, du machst dich morgen auf den Weg nach Wien!«

»Morgen? Aber das geht doch nicht ...«, stammelte er erschrocken. Im nächsten Moment gab sie ihm wortlos eine Ohrfeige. Der Schlag traf ihn so plötzlich, dass er zwei Schritte zur Seite taumelte.

Am nächsten Tag saß Franz im Frühzug nach Wien. Die dreizehn Kilometer zum Bahnhof von Timelkam waren er und die Mutter zu Fuß gegangen, um Geld zu sparen. Der Zug kam pünktlich, der Abschied war kurz, schließlich war alles gesagt und getan. Sie küsste ihn auf die Stirn, er tat ein bisschen grantig, nickte ihr zu und stieg ein. Während der alte Dieseltriebwagen Fahrt aufnahm, streckte Franz seinen Kopf zum Fenster hinaus und sah die winkende Mutter auf dem Bahnsteig immer kleiner werden, bis sie schließlich ganz verschwand, ein undeutlicher Fleck im morgendlichen Sommerlicht. Er ließ sich in seinen Sitz fallen, schloss die Augen und atmete so lange aus, bis ihm ein bisschen schwindelig wurde. Erst zweimal in seinem Leben hatte er das Salzkammergut verlassen: Einmal waren sie nach Linz gefahren, um einen Anzug für den ersten Schultag zu kaufen, und ein anderes Mal ging es mit der Volksschulklasse nach Salzburg, wo sie einem trostlosen Blechorchesterkonzert zuhörten und den Rest des Tages zwischen alten Gemäuern herumstolperten. Doch das waren nur Ausflüge, nichts weiter. »Das hier ist etwas anderes«, sagte er leise zu sich selbst, »etwas völlig und ganz anderes!« Vor seinem Inneren tauchte die Zukunft auf wie ein weit entfernter Uferstreifen aus dem Morgennebel: noch ein bisschen undeutlich und verwischt, aber doch auch verheißungsvoll und schön. Und auf einmal fühlte sich alles irgendwie leicht und angenehm an. Es war, als ob mit der verschwommenen Gestalt der Mutter auf dem Bahnsteig von Timelkam auch ein großer Teil seines Körpergewichtes zurückgeblieben wäre. Fast schwerelos saß Franz jetzt im Zugabteil, spürte das rhythmische Rattern unterm Hintern und raste mit der unvorstellbaren Geschwindigkeit von fast achtzig Kilometern pro Stunde in Richtung Wien.

Als der Zug eineinhalb Stunden später aus dem Voralpengebirge herausfuhr und sich die weite Helligkeit der niederösterreichischen Hügellandschaft vor ihm öffnete, hatte Franz bereits den kompletten Inhalt des mütterlichen Proviantpakets zusammengegessen und fühlte sich wieder so schwer wie eh und je.

Die Fahrt verlief ohne nennenswerte Vorkommnisse, eher langweilig. Nur einmal, auf dem Streckenabschnitt zwischen Amstetten und Böheimskirchen, musste der Zug einen außerplanmäßigen Halt einlegen. Ein heftiger Ruck ging durch die Waggons, und schnell verloren sie an Geschwindigkeit. Die Gepäckstücke purzelten aus den Netzen, ein ohrenbetäubendes Quietschen ertönte, überall Geschimpfe und Geschrei, dann ein weiterer Ruck, noch ein bisschen heftiger als der erste – und der Zug kam zum Stehen. Mit seinem gesamten Gewicht hatte sich der Lokführer an den gusseisernen Bremshebel hängen müssen, weil in einiger Entfernung auf den Schienen ein großer, dunkler, irgendwie haufenartiger, in jedem Fall aber verdächtiger Gegenstand aufgetaucht war. »Wahrscheinlich wieder die Sozis!«, knurrte der Schaffner, während er mit flatterndem Fahrkartenblock durch die Waggons nach vorne eilte. »Oder die Nazis! Wär aber sowieso egal: Ist eh alles das gleiche Gsindel!«

Wie allerdings bald klar wurde, handelte es sich bei dem verdächtigen Gegenstand lediglich um eine alte Kuh, die sich zum Sterben ausgerechnet die Gleise der Westbahnstrecke ausgesucht hatte und nun schwer und stinkend auf den Schwellen lag. Mit Hilfe einiger Fahrgäste und unter genauer Beobachtung von Franz, der, seine weichen Mädchenhände hinter dem Rücken verschränkt, in sicherer Entfernung stand, schaffte man es, den Kadaver von den Gleisen zu zerren. Unter dem wirren Gekrabbel der Fliegen schimmerten die dunklen Kuhaugen. Franz musste an die glänzenden Steine denken, die er als Bub so oft am Seeufer eingesammelt und danach in seinen prall gefüllten Hosentaschen nach Hause getragen hatte. Jedes Mal war er von einer kleinen Enttäuschung überrascht worden, wenn er die Hose über dem Hüttenboden ausschüttelte und die Steine dumpf und trocken über die Dielen kullerten und ihren unergründlichen Glanz verloren hatten.

Als der Zug schließlich mit nur zweistündiger Verspätung in den Wiener Westbahnhof eingefahren war und Franz aus der Bahnhofshalle ins grelle Mittagslicht hinaustrat, war seine kleine Melancholie längst wieder verflogen. Stattdessen wurde ihm ein bisschen schlecht und er musste sich am nächsten Gaslaternenmast festhalten. Als Erstes gleich einmal vor allen Leuten umkippen, da muss man sich ja genieren, dachte er wütend. Genau wie die käsigen Sommerfrischler, die es Sommer für Sommer gleich nach ihrer Ankunft am Seeufer reihenweise vom Hitzschlag getroffen ins Gras schmeißt und die hernach von gutgelaunten Einheimischen mit einem Kübel Wasser oder ein paar Ohrfeigen wieder ins Bewusstsein zurückgeholt werden müssen. Er klammerte sich noch fester an die Laterne, schloss die Augen und rührte sich so lange nicht mehr, bis er das Pflaster wieder sicher unter seinen Füßen spürte und sich die rötlichen Flecken aufgelöst hatten, die langsam in seinem Blickfeld vorbeipulsierten. Als er die Augen wieder öffnete, brach ein kurzer, erschrockener Lacher aus ihm heraus. Es war überwältigend. Die Stadt brodelte wie der Gemüsetopf auf Mutters Herd. Alles war in ununterbrochener Bewegung, selbst die Mauern und die Straßen schienen zu leben, atmeten, wölbten sich. Es war, als könnte man das Ächzen der Pflastersteine und das Knirschen der Ziegel hören. Überhaupt der Lärm: Ein unaufhörliches Brausen lag in der Luft, ein unfassbares Durcheinander von Tönen, Klängen und Rhythmen, die sich ablösten, ineinanderflossen, sich gegenseitig übertönten, überschrien, überbrüllten. Dazu das Licht. Überall ein Flimmern, Glänzen, Blitzen und Leuchten: Fenster, Spiegel, Reklameschilder, Fahnenstangen, Gürtelschnallen, Brillengläser. Autos knatterten vorüber. Ein Lastwagen. Ein libellengrünes Motorrad. Noch ein Lastwagen. Mit einem schrillen Bimmeln bog eine Straßenbahn um die Ecke. Eine Geschäftstür wurde aufgerissen, Wagentüren zugeschlagen. Jemand trällerte die ersten Takte eines Gassenhauers, brach aber mitten im Refrain wieder ab. Jemand schimpfte heiser. Eine Frau kreischte wie ein Schlachthuhn. Ja, dachte Franz benommen, das hier ist etwas anderes. Etwas völlig und ganz anderes. Und in diesem Moment nahm er den Gestank wahr. Unter dem Straßenpflaster schien es zu gären, und darüber waberten die verschiedensten Ausdünstungen. Es roch nach Abwasser, nach Urin, nach billigem Parfüm, altem Fett, verbranntem Gummi, Diesel, Pferdescheiße, Zigarettenqualm, Straßenteer.

»Ist Ihnen nicht gut, junger Mann?« Eine kleine Dame hatte sich zu Franz gestellt und blickte aus rötlich entzündeten Augen zu ihm hinauf. Trotz der Mittagshitze trug sie einen schweren Lodenmantel und hatte eine schäbige Pelzmütze auf dem Kopf.

»Aber nein!«, sagte Franz schnell. »Es ist nur so laut in der Stadt. Und es stinkt ein bisserl. Vom Kanal her wahrscheinlich.«

Die kleine Dame reckte ihm ihren Zeigefinger wie ein dürres Ästchen entgegen.

»Das ist nicht der Kanal, der da stinkt«, sagte sie. »Das sind die Zeiten. Faulige Zeiten sind das nämlich. Faulig, verdorben und verkommen!«

Auf der anderen Straßenseite holperte ein hoch mit Bierfässern beladener Pferdewagen vorüber. Einer der wuchtigen Pinzgauer bog seinen Schwanz in die Höhe und ließ ein paar Äpfel fallen, die ein eigens zu diesem Zweck hinterhertrottender, schmächtiger Bub mit bloßen Händen aufklaubte und in seinen Schultersack stopfte.

»Bist von weit hergekommen?«, fragte die kleine Dame.

»Von zuhause.«

»Das ist sehr weit. Da fährst am besten gleich wieder zurück!«

In ihrem linken Auge war eine Ader geplatzt und hatte sich zu einem rosigen Dreieck erweitert. An ihren Wimpern klebten winzige Kohlenstaubklümpchen.

»Blödsinn!«, sagte Franz. »Es gibt kein Zurück, und außerdem gewöhnt man sich an alles.«

Er drehte sich um und ging, überquerte die stark befahrene Gürtelstraße, wich im letzten Moment einem daherbrausenden Autobus aus, sprang leichtfüßig über eine Lacke aus Pferdeseiche und bog in die gegenüberliegende Mariahilferstraße ein, so wie es ihm die Mutter gesagt hatte. Als er sich noch einmal umdrehte, stand die kleine Dame immer noch neben der Laterne am Bahnhofseingang, ein lodengrüner Zwerg mit übergroßem Kopf, in dessen feinen Pelzhaarspitzen das Sonnenlicht glänzte.

Otto Trsnjeks kleine Tabaktrafik lag im neunten Wiener Gemeindebezirk an der Währingerstraße, eingezwängt zwischen dem Installationsbüro Veithammer und der Fleischhauerei Roßhuber. Über dem Eingang war ein großes Blechschild angebracht:

Tabaktrafik Trsnjek
Zeitungen
Schreibwaren
Rauchwaren
seit 1919

Franz legte sich mit etwas Spucke seine Haare zurecht, knöpfte sich das Hemd bis ganz oben zu, was ihm seiner Meinung nach den Anschein einer gewissen Ernsthaftigkeit verlieh, holte tief Luft und betrat die Trafik. Am Türrahmen über seinem Kopf ertönte das Geklingel zarter Glöckchen. Durch die von Plakaten, Zetteln und Reklamebildern fast lückenlos zugeklebte Auslagenscheibe drang nur wenig Licht ins Innere, und es dauerte einige Sekunden, bis sich Franz' Augen an die Düsterkeit gewöhnt hatten. Der Verkaufsraum war winzig und bis unter die Decke vollgestopft mit Zeitungen, Zeitschriften, Heftchen, Büchern, Schreibzeug, Zigarettenschachteln, Zigarrenkisten und verschiedenen anderen Rauch-, Schreib- und Kleinwaren. Hinter der niedrigen Verkaufstheke, zwischen zwei hohen Zeitungsstapeln, saß ein älterer Mann. Er hatte seinen Kopf tief über einen Aktenordner gebeugt und trug sorgfältig und konzentriert Zahlen in offenbar dafür vorgesehene Spalten und Kästchen ein. Eine dumpfe Ruhe füllte den Raum, nur das Kratzen der Federspitze auf dem Papier war zu hören. In den wenigen schmalen Lichtbalken flirrte der Staub, und ein intensiver Geruch nach Tabak, Papier und Druckerschwärze lag in der Luft.

»Servus, Franzl«, sagte der Mann, ohne von seinen Zahlen aufzusehen. Er sagte es leise, doch die Worte klangen überdeutlich in der Beengtheit des Raumes.

»Wieso wissen Sie denn, wer ich bin?«

»Dir hängt ja noch das halbe Salzkammergut an den Füßen!« Der Mann zeigte mit seiner Füllfeder auf Franz' Schuhe, an deren Kuppennähten ein paar Batzen dunkler Erde klebten.

»Und Sie sind der Otto Trsnjek.«

»Genau.« Mit einer müden Handbewegung klappte Otto Trsnjek seinen Ordner zu und ließ ihn in einer Schublade verschwinden. Dann stemmte er sich aus seinem Sesselchen heraus, verschwand mit einem merkwürdigen Hopser hinter den Zeitungsstapeln und kam gleich darauf mit zwei Krücken unter den Achseln wieder hervor. Soweit Franz erkennen konnte, war von seinem linken Bein nur noch der halbe Oberschenkel übrig.

Der Hosenstoff unter dem Stumpf war zu einem Zipfel zusammengenäht und schlenkerte bei jeder Bewegung ein bisschen nach. Otto Trsnjek hob eine der Krücken und wies mit einer runden, fast zärtlichen Bewegung auf das Warensortiment im Verkaufsraum.

»Und das hier sind meine Bekannten. Meine Freunde. Meine Familie. Am liebsten möcht ich sie alle behalten.« Er lehnte eine seiner Krücken gegen die Theke und strich mit dem Handrücken sanft über die bunt durcheinanderglänzenden Titelblätter in einem der Regale. »Aber ich geb sie trotzdem her, jede Woche, jeden Tag, zu jeder Stund, von der Ladenöffnung bis zum Ladenschluss. Und weißt du auch warum?«

Franz wusste es nicht.

»Weil ich Trafikant bin. Weil ich Trafikant sein will. Und weil ich immer Trafikant sein werde. Und zwar bis es nicht mehr geht. Bis der Herrgott bei mir die Rollos herunterlässt. So einfach ist das!«

»Aha«, sagte Franz.

»Genau«, meinte Otto Trsnjek. »Und wie geht es deiner Mutter?«

»Eigentlich wie immer. Schöne Grüße soll ich ausrichten!«

»Danke«, sagte Otto Trsnjek. Und dann führte er seinen Lehrling in die Geheimnisse des Trafikantenlebens ein.

Franz' hauptsächlicher Arbeitsplatz würde der kleine Hocker neben der Eingangstür sein. Dort solle er – wenn gerade nichts Dringlicheres anstehe – ruhig sitzen, nicht reden, auf Anweisungen warten und ansonsten etwas für

Hirn und Horizont tun, sprich: Zeitungen lesen. Die Zeitungslektüre nämlich sei überhaupt das einzig Wichtige, das einzig Bedeutsame und Relevante am Trafikantendasein; keine Zeitungen zu lesen hieße ja auch, kein Trafikant zu sein, wenn nicht gar: kein Mensch zu sein. Aber natürlich könne man unter einer richtigen Zeitungslektüre nicht einfach nur das flüchtige Durchblättern eines oder vielleicht zweier armseliger Tagesblättchen verstehen. Eine richtige, weil eben Hirn und Horizont gleichermaßen erweiternde Zeitungslektüre beinhalte *alle* sich auf dem Markt (also auch in der Trafik) befindlichen Zeitungen, wenn schon nicht von vorne bis hinten, so doch zumindest zu einem größeren Teil, was da heiße: Aufmacher, Leitartikel, die wichtigsten Kolumnen, die wichtigsten Kommentare sowie die wichtigsten Meldungen aus Politik (Innen und Außen), Lokales, Wirtschaft, Wissenschaft, Sport, Kultur, Gesellschaft und so weiter. Das Zeitungsgeschäft bilde ja bekanntermaßen das Kerngeschäft jeder ernstzunehmenden Trafik, und der Kunde, respektive der Zeitungskäufer, wolle (sofern er nicht sowieso schon einer der vielen intellektuell oder emotional oder politisch an ein bestimmtes Druckerzeugnis gebundener Stammleser sei) vom Trafikanten dementsprechend beraten, informiert und gegebenenfalls mit sanftem Nachdruck oder nachdrücklicher Sanftmut an das für ihn, den Kunden, den Leser, den Zeitungskäufer, an diesem Tage, zu dieser Stunde, in dieser Stimmung einzig angemessene Blatt herangeführt werden. Ob Franz das jetzt auch richtig verstanden habe?

Franz nickte.

Dann das Rauchzeug. Mit den Zigaretten sei es ja noch einigermaßen einfach. Zigaretten könne schließlich jeder dahergelaufene Bauernlümmel, der sich vielleicht zufällig aus dem Salzkammergut oder sonst irgendwoher in eine Trafik hineinverirrt habe, verkaufen. Was beim Bäcker die Semmeln, das seien beim Trafikanten die Zigaretten. Bekanntlich kaufe man weder Semmeln noch Zigaretten wegen des Geschmacks oder des guten Aussehens, sondern einzig und alleine wegen des Hungers beziehungsweise der Sucht. Womit über den Semmel- respektive über den Zigarettenverkauf eigentlich schon alles gesagt und festgehalten wäre. Ganz anders – aber wirklich ganz anders! – verhalte es sich mit den Zigarren. Erst mit dem Verkauf von Zigarren nämlich werde aus einer ernstzunehmenden Trafik auch eine vollkommene Trafik; erst das Aroma, der Duft, der Geschmack und die Würze einer gehörigen Auswahl von Zigarren verwandle einen stinknormalen Zeitungsverkaufsstand mit Rauchwarenzubehör in einen Tempel sowohl des Geistes als auch des Genusses. Ob das für Franz so weit irgendwie nachvollziehbar sei?

Franz nickte und setzte sich auf seinen Hocker.

Das Problem, meinte Otto Trsnjek mit einem traurigen Blick auf das bis unter die Decke dicht mit Zigarrenkisten vollgeräumte Wandregal, das große Problem für das Zigarrengeschäft sei – so wie für vieles andere übrigens auch – die Politik. Die Politik verhunze nämlich grundsätzlich alles und jedes, und da sei es ziemlich egal, wer da gerade mit seinem breitgesessenen Hintern die Regierung bilde, ob der Kaiser selig, der Zwerg Dollfuß,

sein Lehrling Schuschnigg oder drüben der größenwahnsinnige Hitler: Von der Politik werde alles und jedes
verhunzt, verpatzt, versaut, verdummt und überhaupt
irgendwie zugrunde gerichtet. Zum Beispiel das Zigarrengeschäft. Gerade und vor allem das Zigarrengeschäft!
Es seien ja heutzutage kaum noch Zigarren zu kriegen!
Die Lieferungen stockten, seien unzuverlässig und unberechenbar geworden, die Schwankungen in den Lagerbeständen seien enorm, mit stetiger Tendenz nach unten,
so manche Kiste sei schon vor Wochen und Monaten
leergekauft worden und stünde nur mehr hier zur Dekoration, praktisch als eine Art trauriges Andenken an bessere Zeiten!

»Genauso ist das und nicht anders«, sagte Otto Trsnjek
und betrachtete Franz nachdenklich. Dann nahm er
seine Krücken, bewegte sich mit wenigen Schwüngen
wieder hinter die Theke, holte seinen Aktenordner aus
der Schublade, klemmte seine Zungenspitze zwischen
die Schneidezähne und fuhr fort, in seiner Buchhaltung
herumzukratzen.

Von nun an erschien Franz jeden Tag pünktlich um
sechs Uhr morgens in Otto Trsnjeks Tabaktrafik. Da er als
Wohn-, Bade- und Schlafzimmer die kleine Lagerkammer direkt hinter dem Verkaufsraum zugewiesen bekommen hatte, war der Weg zur Arbeit angenehm kurz. Mit
einer für ihn selbst überraschend frischen Morgenlaune
sprang er von der Matratze, schlüpfte in seine Sachen,
putzte sich über dem blechernen Waschkübel die Zähne,
strich sich mit den nassen Fingern durch die Haare und

ging nach vorne zur Arbeit. Die Vormittage verbrachte er meist ohne allzu viele Unterbrechungen zeitunglesend auf seinem kleinen Hocker neben der Eingangstür. Unter Otto Trsnjeks Anweisung schichtete er sich einen Stapel frischer Morgenblätter zurecht und nahm sich eins nach dem anderen vor. Zu Beginn war die Arbeit mühselig, und er musste sich oftmals zusammenreißen, um während des Lesens nicht vor Müdigkeit auf die Dielen zu kippen. Zuhause hatte es ja, mit Ausnahme des monatlich erscheinenden und von der Gattin des Bürgermeisters eigenhändig verfassten *Nußdorfer Gemeindeblättchens*, kaum jemals richtige Zeitungen gegeben. Nur auf dem Plumpsklo neben dem Holunderbusch hinter der Hütte lag immer ein kleiner Stoß von der Mutter auf handliche Größe zusammengerissener Zeitungsblätter. Hin und wieder hatte Franz vor dem Abwischen eine Überschrift, ein paar Zeilen oder vielleicht sogar einen halben Absatz gelesen, ohne daraus allerdings jemals einen sonderlichen Nutzen zu ziehen. Das Weltgeschehen glitt ihm damals noch durch die Hände und unterm Hintern hinweg, ohne seine Seele zu erreichen. Das schien sich jetzt zu ändern. Auch wenn es in den ersten Tagen noch recht schleppend ging, so gewöhnte er sich doch bald an den meist ziemlich gestelzten Reporterstil mitsamt seiner vielen, immer wiederkehrenden Formulierungsholprigkeiten und war sogar zunehmend in der Lage, aus den verschiedenen Artikeln ihren jeweiligen Sinn herauszuklauben. Nach ein paar Wochen schließlich konnte er die Zeitungen fast flüssig lesen, wenn nicht von vorne bis hinten, so doch zumindest zum größeren Teil. Und obwohl ihn die unterschiedlichen, manchmal sogar völlig gegensätzlichen Standpunkte und Sichtweisen gehörig durcheinanderbrachten, bereitete ihm die Lektüre doch auch irgendwie ein gewisses Vergnügen. Es war eine Ahnung, die da zwischen den vielen Druckbuchstaben herausraschelte, eine kleine Ahnung von den Möglichkeiten der Welt.

Manchmal legte er die Zeitungen beiseite und nahm eine Zigarre aus einer der vielen bunt bemalten Holzkisten. Er drehte sie nach allen Richtungen, hielt sie gegen einen Lichtspalt in der Auslage, betastete mit den Fingerspitzen ihre mürbe Blätterhaut und zog sie mit geschlossenen Augen schnuppernd unter seiner Nase hindurch. Jede Sorte hatte ihren ganz persönlichen Geruch, und doch trugen alle gemeinsam das Aroma einer Welt jenseits der Trafik, der Währingerstraße, der Wienerstadt, ja selbst des Landes und des ganzen weiten Kontinents in sich. Es duftete nach feuchter, schwarzer Erde, nach still vor sich hinmodernden Baumriesen, nach dem sehnsuchtsvollen Gebrüll der Raubtiere, das die Urwalddunkelheit erfüllte und nach dem noch sehnsuchtsvolleren Gesang der Negersklaven, der aus den hitzeflirrenden Tabakplantagen in den Äquatorhimmel hinaufstieg.

»Eine schlechte Zigarre schmeckt nach Pferdemist«, sagte Otto Trsnjek, »eine gute nach Tabak. Eine *sehr* gute Zigarre jedoch schmeckt nach der Welt!«

Er selbst war übrigens Nichtraucher.

In den ersten Wochen lernte Franz die Kunden kennen. Zwar gab es jede Menge Laufkundschaft, gehetzte Menschen, die hereingerannt kamen, atemlos ihre Wünsche hervorstießen, wieder hinausrannten und selten oder nie wieder gesehen wurden. Die meisten aber waren Stammkunden. Seit Otto Trsnjek im Jahr nach dem Krieg vom Invalidenentschädigungsgesetz die Trafik zugesprochen worden war, hatte er sich als feste Größe im Alsergrund etabliert. Niemand in der Gegend hatte ihn als jungen Mann gekannt. Eines Tages war er einfach da, war auf seinen Krücken die Währingerstraße heruntergeschwungen, montierte außen das große Blechschild und innen das Glockenspiel über der Eingangstür, setzte sich hinter die Verkaufstheke und gehörte seitdem zum Bezirk wie die Votivkirche oder das Installationsbüro Veithammer.

»Merk dir die Kunden. Präg dir ihre Gewohnheiten und Vorlieben ein. Das Gedächtnis ist das Kapital des Trafikanten!«, sagte er zu Franz. Und der bemühte sich. Zu Beginn fiel es ihm noch schwer, den Leuten ihre jeweiligen Angewohnheiten und Wünsche zuzuordnen, doch mit jedem Tag wurden die Verbindungen klarer. Nach und nach begannen sich aus dem unförmigen Kundendurcheinander einzelne Menschen mitsamt ihren Eigenheiten herauszulösen, bis Franz sie schließlich sogar mit Namen und dem dazugehörigen, in Wien überlebenswichtigen, Titel begrüßen konnte. Da war zum Beispiel Frau Dr. Dr. Heinzl, die die Universität nicht einmal als Gebäude erkannt hätte, geschweige denn sie jemals betreten hatte. Frau Dr. Dr. Heinzl war zweimal verheiratet gewesen, einmal mit einem jüdischen Zahnarzt und später mit einem schon bei der Hochzeit steinalten Juristen. Die beiden Herren folgten den meisten anderen Wienern auf ihren letzten Weg zum Zentralfriedhof, die Doktortitel jedoch blieben und wurden fortan von der Witwe Heinzl stolz durch die Gegend getragen. Außerdem trug sie eine bläuliche Perücke, fächelte sich auch im Winter mit einem Paar lachsfarbener Seidenhandschuhe beständig Luft ins Gesicht und verlangte jeden Tag mit leicht näselndem Aristokratenton ein Exemplar der *Wiener Zeitung* und der *Reichspost*. Der erste Kunde des Tages aber war der pensionierte Parlamentsdiener Kommerzialrat Ruskovetz. Der Kommerzialrat kam jeden Morgen kurz nach Ladenöffnung in Begleitung seines inkontinenten Dackels und verlangte nach dem *Wiener Journal* und einer Packung Zigaretten der Marke *Gloriette*. Manchmal wechselten er und der Trafikant einige wenige Worte über das hundsmiserable Wetter oder über die vertrottelte Regierung, während der Dackel gelbliche Tropfen auf die Dielen fallen ließ, die Franz anschließend mit einem feuchten Reibefetzen aufzuwischen hatte. Am Vormittag polterten die Arbeiter herein, holten sich das *Volksblatt* oder das *Kleine Blatt* und verlangten nach einzelnen Zigaretten, die Otto Trsnjek aus einem Einmachglas herausfischte und ihnen in die schwieligen Hände zählte. Obwohl manche von ihnen schon in der Früh nach Bier rochen und sie mit ihren klobigen Schuhen ziemlich viel Dreck von draußen mitbrachten, mochte Franz die Arbeiter. Sie redeten nicht viel, hatten kantige Gesichter und wirkten insgesamt wie die staubigen Brüder der heimatlichen Waldarbeiter. Um die Mittagszeit kamen dann die Rentner und die Studenten. Die Rentner fragten nach der *Österreichischen Woche*, die Studenten holten sich ein paar *Egyptische*, dazu die *Wiener Zeitung*, Schreibpapier und die neuesten Witzblätter. Am frühen Nachmittag erschien der alte Herr Löwenstein um ein oder zwei Schachteln *Gloriette*. Danach war die Zeit der Hausfrauen. Die Hausfrauen dufteten entweder nach Putzmittel oder nach Kirschlikör, erzählten viel und fragten viel und verlangten zwischendurch nach dem *Kleinen Frauenblatt* oder anderen interessanten Journalen für die moderne Dame. Der stark kurzsichtige Juristikar Kollerer schaute vorbei und kaufte seinen täglichen *Langen Heinrich*, eine dünne, langstielige Zigarillo, sowie je ein Exemplar des *Bauernbündler* und des *Wienerwaldboten*. In unregelmäßigen Abständen betrat der Rote Egon die Trafik. Der Rote Egon war ein bezirksbekannter Spiegelsäufer und – trotz des Parteienverbots – ein zu allen Gelegenheiten öffentlich und lautstark bekennender Sozialdemokrat. Seine Gestalt war hager, seine Miene finster, aber irgendwo hinter seiner hohen Stirn flackerte ein Feuer, das nie zu erkalten schien. Kaum hatte er die Tür aufgestoßen, begann er von Revolutionen zu erzählen, von Aufständen, Umbrüchen oder Umstürzen, die längst schon irgendwo im Gange seien und die die auf den Knochenmehlbergen der zermürbten, zerdrückten und zermahlenen Arbeiterschaft errichtete Kapitalistenwelt in ihre verdienten Trümmer reißen würden. Hernach starrte er meistens noch eine Weile düster in die Regale, entschied sich schließlich für eine Schachtel Filterlose, bezahlte und ging. Schulkinder purzelten herein und fragten nach Buntstiften oder Sammelbildchen, alte Damen wollten plaudern, alte Herren wollten ihre Ruhe und schweigend Titelbilder betrachten. Manchmal bat einer der männlichen Stammkunden mit verräusperter Stimme, einen Blick in die »Lade« werfen zu dürfen. Es war dies eine unauffällige Schublade unter der Verkaufstheke, die von Otto Trsnjek immer sorgfältig verschlossen gehalten und eben nur auf besonderen Kundenwunsch geöffnet wurde. Darin befanden sich die seit Jahren streng verbotenen, sogenannten »Zärtlichen Magazine« (beziehungsweise die »Wichsheftln« oder »Hobelbroschüren«, wie der Trafikant sie gegenüber Franz zu nennen pflegte). Die Männer blätterten ein bisschen darin herum, versuchten währenddessen eine möglichst uninteressierte Miene aufzusetzen und nahmen dann vielleicht ein, zwei von Franz blickgeschützt in braunes Packpapier eingewickelte Heftchen mit.

»Ein guter Trafikant verkauft nicht einfach nur Tabak und Papier«, sagte Otto Trsnjek und kratzte sich mit dem hinteren Ende der Schreibfeder an seinem Beinstumpf. »Ein guter Trafikant verkauft Genuss und Lust – und manchmal Laster!«

Eine Karte pro Woche, nicht mehr und nicht weniger, das war die Abmachung. »Franzl«, hatte die Mutter am Abend vor seiner Abreise gesagt und ihm dabei mit dem Rücken ihres Zeigefingers leicht über die Wange gestrichen, »du schreibt mir jede Woche eine Postkarte, weil eine Mutter muss wissen, wie es ihrem Kind geht!«

»Na gut«, hatte Franz gesagt.

»Aber richtige Ansichtskarten müssen es sein. Solche mit schönen Bildern vorne drauf. Damit tapezier ich den Schimmelfleck über dem Bett zu, und wenn ich sie mir anschaue, kann ich mir immer vorstellen, wo du gerade bist!«

In einer Ecke neben der Auslage befand sich ein schmales Gestell mit einer bunten Auswahl übereinandergereihter Gruß- und Ansichtskarten. Jeden Freitagnachmittag stand Franz davor und suchte sich eine davon aus. Die meisten zeigten irgendwelche bekannten Wiener Sehenswürdigkeiten: Stephansdom im rosigen Morgenlicht, Riesenrad unter den Sternen, Staatsoper festlich erleuchtet und so weiter. Fast immer entschied er sich für eine Karte mit Park oder Beet oder wenigstens mit Blumentöpfen vor den Fenstern der abgebildeten Häuser. Das Grünzeug und die Farben könnten die Mutter in einsamen Regenstunden vielleicht ein bisschen aufheitern, dachte er sich, außerdem passten sie besser zum Schimmelfleck. Er schrieb ein paar Zeilen, und die Mutter schrieb ein paar Zeilen, und beide hätten eigentlich lieber miteinander gesprochen oder wären zumindest schweigend nebeneinander gesessen und hätten dem Schilf zugehört. *Mein lieber Franzl, wie gehts, liebe Mutter, danke gut, bei uns ist es schön, bei uns eigentlich auch, in der Stadt gibt es viel zu sehen, in Nußdorf nicht, aber das macht nichts, die Arbeit macht Spaß, von der Hütte müsste wieder einmal das Moos gekratzt werden, ich hab Dich lieb, Deine Mama, ich Dich auch, Dein Franz.* Es waren Rufe aus der Heimat in die Fremde hinaus und wieder zurück, wie kurze Berührungen, flüchtig und warm. Franz legte die Karten der Mutter in die Schublade seines Nachtkästchens und sah zu, wie der Stapel Woche für Woche anwuchs, lauter kleine, glitzernde Atterseen. Manchmal, an stillen Abenden, kurz vor dem Einschlafen, konnte er es leise gluckern hören in der Lade. Aber das mochte auch Einbildung sein.

Anfang Oktober wehte der erste Herbstwind die Hitze aus den Straßen und die Hüte von den Köpfen der Passanten. Hin und wieder sah Franz eine Kopfbedeckung an der Trafik vorüberkollern, gleich gefolgt von ihrem hinterherstolpernden Besitzer. Es war kühl geworden, Otto Trsnjek hatte schon angedeutet, er würde vielleicht bald wieder den Kohleofen anheizen, und Franz hatte begonnen, eine etwas aus der Form geratene, braune Wollweste zu tragen, die ihm die Mutter vor Jahren während verschneiter Winterstunden im Schein des Herdfeuers gestrickt hatte. Trotz der unübersichtlichen Entwicklungen und der damit verbundenen noch viel unübersichtlicheren politischen Aussichten lief das Geschäft gut. »Die Leute sind ganz narrisch nach diesem Hitler und nach schlechten Nachrichten – was ja praktisch ein und dasselbe ist«, sagte Otto Trsnjek. »Jedenfalls ist das gut für das Zeitungsgeschäft – und geraucht wird sowieso immer!«

An einem trübgrauen Montagvormittag klingelten zaghaft die Glöckchen, und ein alter Herr betrat die Trafik. Er war nicht besonders groß und ziemlich schmächtig, eigentlich sogar dürr. Obwohl Hut und Anzug tadellos saßen, wirkten sie wie aus irgendwelchen alten Zeiten herübergerettet. Seine rechte Hand war von einem bläulichen Aderngeflecht überzogen und umklammerte den Knauf eines Gehstocks, während sich die Linke kurz zu einem flüchtigen Gruß hob, bevor sie wieder in einer der

Jacketttaschen verschwand. Sein Rücken war leicht gekrümmt, der Kopf vorgereckt. Sein weißer Bart war akkurat gestutzt, und er trug eine runde, schwarzgerahmte Brille, hinter deren Gläsern die glänzend braunen Augen in beständiger Wachsamkeit herumhuschten. Das wirklich Außergewöhnliche an der Erscheinung des Alten aber war die Wirkung, die sie auf Otto Trsnjek ausübte. Sofort nach dessen Eintreten nämlich war er aufgestanden und hatte versucht, sich, ohne Krücken und mit einer Hand auf die Theke gestützt, möglichst aufrecht und gerade zu halten. Ein einziger kurzer Seitenblick hatte auch Franz zum Aufspringen bewegt, und so standen sie beide nun da und bildeten ein steifes Empfangskomitee für diesen dürren, alten Herrn.

»Guten Morgen, Herr Professor!«, sagte Otto Trsnjek und ruckelte unauffällig sein Bein zurecht. »Virginias, wie immer?«

Eines hatte Franz während seiner bisherigen Lehrzeit längst schon verinnerlicht: Sogenannte Professoren gab es in Wien wie Kieselsteine an der Donau. In gewissen Bezirken sprachen sich sogar die Pferdefleischhauer und Bierkutscher mit »Herr Professor« an. Diesmal jedoch war es etwas anderes. Die Art, wie der Trafikant diesen Herrn begrüßte, machte Franz sofort klar, dass das hier ein richtiger Professor war, ein ehrlicher und echter, einer, der seinen Titel nicht wie eine Kuhglocke vor sich her schwenken musste, um die ihm gebührende, professorale Anerkennung zu finden.

»Ja«, sagte der Alte mit einem kurzen Nicken, während er seinen Hut vom Kopf nahm und ihn bedächtig vor sich auf die Theke legte. »Zwanzig Stück. Und die *Neue Freie Presse*, bitte.«

Er sprach langsam und so leise, dass er nur schwer zu verstehen war. Dabei öffnete er kaum den Mund. Es war, als ob er jedes einzelne Wort nur unter erheblicher Anstrengung durch die Zähne gepresst bekäme.

»Selbstverständlich, Herr Professor!«, sagte Otto Trsnjek und nickte seinem Lehrling zu. Franz nahm eine Zwanziger-Kiste Virginias und die Zeitung aus den Regalen und legte sie auf die Theke, um sie in Packpapier zu wickeln. Er spürte den Blick des Alten auf sich gerichtet, der jede seiner Bewegungen genau zu verfolgen schien.

»Der da ist übrigens der Franzl«, erklärte Otto Trsnjek. »Kommt aus dem Salzkammergut und hat noch viel zu lernen.«

Der Alte reckte seinen Kopf noch ein Stückchen weiter vor. Aus den Augenwinkeln konnte Franz erkennen, wie sich seine Hautfalten, dünn wie Seidenpapier, über den Rand des Hemdkragens legten.

»Das Salzkammergut«, sagte er mit einer seltsamen Mundverzerrung, die wahrscheinlich ein Lächeln darstellen sollte. »Sehr schön.«

»Vom Attersee!«, nickte Franz. Und aus irgendwelchen Gründen war er zum ersten Mal in seinem Leben stolz auf dieses komische Regenloch namens Heimat.

»Sehr schön«, wiederholte der Professor. Dann legte er ein paar Münzen auf die Theke, nahm das fertige Paket unter den Arm und wandte sich zum Gehen. Mit einem Schritt war Franz an der Tür, um sie zu öffnen. Der Alte nickte ihm zu und trat hinaus auf die Straße, wo ihm sofort der Wind den Bart zerzupfte. Er riecht seltsam, dieser alte Herr, dachte Franz, nach Seife, nach Zwiebeln, nach Zigarren und interessanterweise irgendwie auch ein bisschen nach Sägespänen.

»Wer war denn das?«, fragte er, nachdem er die Tür zugedrückt hatte. Fast mit Gewalt musste er sich aufrichten, um die etwas gebückte Haltung, die er unwillkürlich eingenommen hatte, wieder aufzulösen.

»Das war Professor Sigmund Freud«, sagte Otto Trsnjek und ließ sich mit einem Ächzen zurück in seinen Sessel sinken.

»Der Deppendoktor?«, entfuhr es Franz mit einem kleinen Erschrecken in der Stimme. Natürlich hatte er schon von Sigmund Freud gehört. Der Ruf des Professors war ja mittlerweile nicht nur an die entlegensten Flecken der Erde, sondern sogar bis ins Salzkammergut gelangt und hatte dort die meist eher dumpfen Fantasien der Einheimischen angeregt. Von allerhand unheimlichen Trieben war die Rede, von ordinären Witzen, wölfisch heulenden Patientinnen und ausufernden Entblößungen in privater Sprechstunde.

»Genau der«, antwortete Otto Trsnjek. »Aber der kann noch viel mehr, als reichen Deppen ihre Schädel gerade richten.«

»Was denn?«

»Angeblich kann er den Leuten beibringen, wie ein ordentliches Leben auszuschauen hat. Nicht allen natürlich, sondern nur denen, die sich sein Honorar leisten können. Man erzählt sich, eine Stunde in seiner Ordination kostet so viel wie ein halbes Schrebergartengrundstück. Das kann aber auch ein bisserl übertrieben sein. Jedenfalls behandelt er die Leute, ohne sie anzurühren wie die anderen Doktoren. Wobei: Irgendwie rührt er sie schon an, nur eben nicht mit den Händen.«

»Mit was denn sonst?«

»Was weiß ich!«, Langsam wurde Otto Trsnjek ungeduldig. »Mit den Gedanken oder mit dem Geist oder mit sonst irgendeinem Blödsinn. Jedenfalls scheint es zu funktionieren, und das ist die Hauptsache. So, jetzt lies deine Zeitungen und lass mich in Frieden.«

Er beugte sich tief über einen Stapel Papier, den er aus der Schublade gezogen hatte, und fing an, mit seiner Feder und einem langen Holzlineal Striche darauf zu ziehen.

Franz legte seine Stirn gegen die Auslagenscheibe und spähte durch einen schmalen Lichtschlitz hinaus. Dort vorne ging der Professor mit seinem Paket unterm Arm die Währingerstraße hinunter. Er ging langsam, mit kleinen, vorsichtigen Schritten und leicht gesenktem Kopf.

»Der wirkt eigentlich recht umgänglich, der Herr Professor!«, meinte Franz nachdenklich. Otto Trsnjek seufzte und hob noch einmal den Blick aus den Tiefen seiner Strichreihen.

»Vielleicht wirkt er ja auf den ersten Blick umgänglich, aber wenn du mich fragst, ist er schon ein ziemlich trockener Knochen, trotz dieser ganzen Hirndoktorei. Außerdem hat er ein nicht unwesentliches Problem.«

»Was denn für eines?«

»Er ist ein Jud.«

»Aha«, sagte Franz. »Und was soll das für ein Problem sein?«

»Das wird sich noch herausstellen«, erwiderte Otto Trsnjek. »Und zwar bald!«

Eine Weile irrte sein Blick verloren in der Trafik herum, so als ob er irgendwo einen sicheren Ort zum Verweilen suchte. Dann hielt er inne und lächelte kurz in sich hinein. Schließlich beugte er sich wieder über seine Arbeit. Sorgfältig versuchte er mit dem Zipfel eines Schwämmchens einen Tintenfleck aufzutupfen, der sich zwischen den Linien ausgebreitet hatte.

Franz blickte immer noch zur Auslage hinaus. Diese Sache mit den Juden hatte er noch nie richtig begriffen. Die Zeitungen ließen kein gutes Haar an ihnen und auf den Fotografien und Witzezeichnungen sahen sie wahlweise lustig oder verschlagen oder meistens sogar beides zusammen aus. Wenigstens gab es in der Stadt welche, dachte Franz, echte Juden aus Fleisch und Blut, mit jüdischen Namen, jüdischen Hüten und jüdischen Nasen. Zuhause in Nußdorf gab es nicht einen einzigen. Allerhöchstens geisterten sie dort als schreckliche oder gemeine oder vertrottelte, in jeden Fall aber als irgendwie ungute Sagengestalten durch die Köpfe der Einheimischen. Vorne war der Professor gerade dabei, in die Berggasse einzubiegen. Eine Windböe fuhr ihm in die Haare und bauschte sie zu einem federleichten Gebilde auf, das für ein paar Sekunden über seinem Kopf wehte.

»Der Hut! Wo hat er denn seinen Hut!«, rief Franz erschrocken. Sein Blick fiel auf die Theke, wo immer noch die graue Kopfbedeckung des Professors lag. Er machte einen Satz, nahm den Hut und lief damit hinaus auf die Straße.

»Halt, stehenbleiben, wenn der Herr erlauben!«, schrie er laut und schlitterte mit rudernden Armen um die Ecke in die Berggasse hinein, wo er den Professor schon nach wenigen Schritten eingeholt hatte und ihm atemlos den Hut entgegenhielt. Sigmund Freud betrachtete für einen Moment seine etwas verbeulte Kopfbedeckung, nahm sie schließlich entgegen und zog im Gegenzug seine Brieftasche aus der Jacketttasche.

»Aber ich bitte Sie, Herr Professor, das war doch eine Selbstverständlichkeit!«, versicherte Franz mit einer abwehrenden Handbewegung, die ihm für seine Begriffe schon während der Ausführung ein bisschen zu ausladend geriet.

»Eine Selbstverständlichkeit ist heutzutage gar nichts mehr!«, sagte Freud und drückte mit dem Daumen eine tiefe Delle aus der Hutkrempe. Wie zuvor sprach er mit kaum geöffnetem Kiefer, leise und gepresst. Franz musste seinen Kopf ein wenig nach vorne neigen, um alles genau zu verstehen. Auf gar keinen Fall wollte er auch nur ein einziges Wort des berühmten Mannes überhört haben.

»Darf ich Ihnen behilflich sein?«, fragte er, und obwohl Freud sich Mühe gab, konnte er doch nicht schnell genug zurückzucken und somit verhindern, dass Franz ihm Paket und Zeitung unterm Arm hervorziehen und entschlossen an seine Brust drücken konnte.

»Meinetwegen«, murmelte er, setzte sich den Hut auf den Kopf und ging los. Franz fühlte sich zuerst noch ein bisschen komisch in der Bauchgegend, während er mit dem Professor die steile Berggasse hinunterging, so als ob irgendein schweres Gewicht ihn an die Bedeutung dieses

Augenblicks gemahnen wollte. Doch schon nach wenigen Schritten hatte sich dieses komisch-schwere Bauchgefühl aufgelöst, und als sie schließlich die duftende Ankerbrotbäckerei der Frau Grindlberger passierten und er sich selbst in der mehlbestäubten Auslage gespiegelt sah, wie er da so marschierte, aufrecht und gerade, das Paket unterm Arm und warm beschienen vom Licht des Ruhms, das vom Professor auf ihn abstrahlte, da fühlte er sich auf einmal ganz stolz und leicht.

»Darf ich Ihnen eine Frage stellen, Herr Professor?«

»Kommt auf die Frage an.«

»Stimmt es, dass Sie den Leuten ihre Schädel wieder gerade richten können? Und ihnen hernach beibringen, wie ein ordentliches Leben ausschaut?«

Freud nahm seinen Hut erneut ab, legte sich sorgfältig eine dünne, schneeweiße Strähne hinters Ohr, setzte den Hut wieder auf und sah Franz von der Seite an.

»Erzählt man sich das in der Trafik oder bei dir zuhause im Salzkammergut?«

»Weiß nicht«, sagte Franz und zuckte mit den Schultern.

»Wir rücken überhaupt nichts gerade. Aber wenigstens renken wir auch nichts aus, und das ist in den heutigen Ordinationen gar nicht so selbstredend. Wir können gewisse Verirrungen erklären, und in manchen eingebungsvollen Stunden können wir das, was wir gerade eben erklärt haben, sogar beeinflussen. Das ist alles«, presste Freud hervor, und es hörte sich an, als ob ihm jedes einzelne Wort Schmerzen bereiten würde. »Aber auch das ist nicht wirklich sicher«, fügte er mit einem kleinen Seufzer hinzu.

»Und wie stellen Sie das alles an?«

»Die Menschen legen sich auf meine Couch und beginnen zu reden.«

»Das klingt gemütlich.«

»Die Wahrheit ist selten gemütlich«, widersprach Freud und hüstelte in das dunkelblaue Stofftaschentuch, das er aus seiner Hosentasche gezogen hatte.

»Hm«, sagte Franz, »darüber muss ich nachdenken.« Er blieb stehen, blickte schräg nach oben und versuchte seine wild durcheinanderspringenden Gedanken auf einen Punkt weit über den Dächern der Stadt und seiner eignen Vorstellungskraft zu sammeln.

»Und?«, fragte der Professor, nachdem ihn dieser merkwürdige, ein wenig aufdringliche Trafikantenbub wieder eingeholt hatte. »Zu welchem Ergebnis bist du gekommen?«

»Erst einmal zu gar keinem. Aber das macht nichts. Ich werde mir Zeit nehmen, um noch länger darüber nachzudenken. Außerdem werde ich mir Ihre Bücher kaufen und sie lesen. Und zwar alle und von vorne bis hinten!«

Zum wiederholten Male seufzte Freud. Eigentlich konnte er sich überhaupt nicht entsinnen, jemals in so kurzer Zeit so oft geseufzt zu haben.

»Hast du nichts Besseres zu tun, als die angestaubten Schinken alter Herren zu lesen?«, fragte er.

»Was zum Beispiel, Herr Professor?«

»Das fragst du mich? Du bist jung. Geh an die frische Luft. Mach einen Ausflug. Amüsier dich. Such dir ein Mädchen.«

Franz sah ihn mit großen Augen an. Ein Zittern lief ihm durch den ganzen Körper. Ja, dachte er, ja, ja, ja! Und im nächsten Moment brach es aus ihm heraus: »Ein Mädchen!«, rief er derart gellend, dass die drei alten Damen, die sich auf der anderen Straßenseite eben erst zu einer kurzen Gassentratscherei zusammengerottet hatten, verschreckt ihre kunstvoll ondulierten Köpfe nach ihnen umdrehten. »Ja, wenn das so einfach wäre …!«

Endlich hatte er das ausgesprochen, was ihm schon seit langer Zeit, im Grunde genommen schon seit dem Tag, an dem seine ersten Schamhaare zaghaft zu sprießen begonnen hatten, sowohl das Hirn als auch das Herz umrührte.

»Bislang haben das noch die allermeisten geschafft«, meinte Freud und bugsierte mit seinem Gehstock zielsicher einen Kiesel vom Trottoir.

»Das heißt aber noch lange nicht, dass ich es schaffen werde!«

»Und warum ausgerechnet du nicht?«

»Da, wo ich herkomme, verstehen die Leute vielleicht was von der Holzwirtschaft und davon, wie man den Sommerfrischlern ihr Geld aus den Taschen zieht. Von der Liebe verstehen sie rein gar nichts!«

»Das ist nichts Außergewöhnliches. Von der Liebe versteht nämlich niemand irgendetwas.«

»Nicht einmal Sie?«

»Gerade ich nicht!«

»Aber warum verlieben sich dann alle Leute ständig und überall?«

»Junger Mann«, sagte Freud und hielt an. »Man muss das Wasser nicht verstehen, um kopfvoran hineinzuspringen!«

»Ach!«, sagte Franz in Ermangelung passenderer Worte, die die unermessliche Tiefe seines Unglücks zum Ausdruck bringen könnten. Und gleich noch einmal hinterher: »Ach!«

»Wie dem auch sei«, sagte Freud. »Wir sind angekommen. Darf ich um meine Zigarren und meine Zeitung bitten?«

»Aber natürlich, Herr Professor!«, sagte Franz mit hängendem Kopf und reichte ihm das Paket. BERGGASSE NR. 19 stand auf dem Schildchen über dem Hauseingang. Freud nestelte einen Schlüsselbund hervor, sperrte auf und lehnte seinen schmächtigen Körper gegen das schwere Holztor.

»Darf ich Ihnen ...«

»Nein, du darfst nicht«, knurrte der Professor, während er sich schnell durch den Türspalt ins Innere drängte.

»Und denk daran«, schob er hinterher und reckte seinen Kopf noch einmal ins Freie. »Mit Frauen ist es wie mit Zigarren: Wenn man zu fest an ihnen zieht, verweigern sie einem den Genuss. Ich wünsche einen angenehmen Tag!« Damit verschwand er im Dunkel des Hausflurs. Mit einem leisen Knarren schloss sich das Tor, und Franz stand alleine im Wind.

(Karte mit frühlingshaft erblühtem Stadtpark und fliedergeschmücktem Fiaker im Vordergrund)

Liebe Mutter,

stell Dir vor, wen ich gestern kennengelernt habe: den Herrn Professor Dr. Sigmund Freud! Hast Du gewusst, dass er ein Jud ist? Und gleich bei der Trafik ums Eck wohnt? Ich habe ihn begleitet, und wir haben uns ein bisschen unterhalten. Sehr interessant! Ich glaube, wir werden uns jetzt öfters sehen. Wie geht es Dir? Mir geht es gut,

Dein Franz

(Karte mit vom goldenen Morgenlicht übergossenen Attersee und Schwänen)

Mein lieber Franzl,

das mit dem Professor Freud ist natürlich ein Blödsinn, oder? Wenn es aber kein Blödsinn sein sollte, frag ihn bitte einmal, ob das alles stimmt, was man so hört. Das mit den Trieben und den ganzen anderen Sachen. Oder nein, frag lieber doch nicht, wer weiß, was das für einen Eindruck macht. Dass er ein Jud ist, habe ich nicht gewusst. Das ist vielleicht nicht angenehm, aber man muss halt schauen. Bei uns hat es schon einmal geschneit. Heute geh ich in den Wald und hack mir einen Korb Holz. Ich hab Dich lieb,

Deine Mama

Die Worte des Professors hatten sich tief in Franz' Seele eingebrannt. Insbesondere jene, bei denen es um Mädchen ging. *Bislang haben das noch die meisten geschafft*, hatte er gesagt. Und entgegen aller Zweifel, die Franz in dieser Beziehung hegte, hatte sich das gar nicht schlecht angehört, irgendwie zuversichtlich und unumstößlich. Überhaupt hatte die ganze professorale Erscheinung trotz ihrer altersgebrechlichen Bröckeligkeit auch etwas felsenhaft Unverrückbares. Na also gut, dachte Franz, wenn das so ist, wird man die Sache jetzt eben angehen müssen!

Und so schlüpfte er schon am nächsten Samstag, kurz bevor ihn die Trafik mit einem letzten, aufmunternden Geklingel ins Wochenende entließ, in seinen Sonntagsanzug, wusch sich sein Gesicht, den Hals und die Hände mit einem extra für diesen Anlass teuer erstandenen Stück Kernseife, schmierte sich einen Batzen Schweineschmalz in die Haare und zerrieb die Blütenblätter einiger prächtiger Königsrosen unter seinen Achseln, die er auf einem nächtlichen Streifzug aus den um die Votivkirche akkurat angelegten Beeten gepflückt hatte. Alsdann trat er glänzend und duftend auf die Straße, wo das milde Herbstlicht das Pflaster wärmte, und bestieg die Straßenbahn in Richtung Wiener Prater, um dort sein Glück in Gestalt eines passenden Mädchens zu finden.

Schon von Weitem konnte er das Riesenrad sehen, aber erst als er direkt darunter stand, konnte er die wahren Ausmaße dieses wunderlichen, stählernen Ungetüms ermessen. Das Riesenrad war nicht einfach nur groß, es war gigantisch. Die Wolken schienen kaum höher als der höchste Stahlträger zu hängen. Die Fahrgäste in den obersten Gondeln waren klein wie Insekten, und ihre Arme und Schals waren nur noch als winkende oder flatternde Winzigkeiten zu erkennen.

Im Gasthaus *Zum eisernen Mann* kaufte er sich ein Seidel Bier. Das Bier war kalt und spritzig, und als er sachte hineinblies, flog der Schaum in schneeweißen Wölkchen auf. Im Schankraum befand sich, außer einer ältlichen Bedienung mit tiefliegenden, traurigen Augen, keine einzige Frau. Also zahlte er und machte sich auf den Weg zum Spiegelkabinett. Ziemlich lange lief er in dem gläsernen Irrgarten herum, ohne den Ausgang zu finden, bis ihm schließlich ein Mann in kurzen Hosen den Weg ins Freie wies. Eine Weile stand er dann vor dem Aeroplankarussell und betrachtete so lange die im Kreis herumsausenden Flugzeuggondeln, bis ihm ein bisschen schwindlig wurde und er ins Gasthaus *Zum Walfisch* hinüberging und sich im Garten einen Einspänner bestellte. Der Kaffee war tiefschwarz, und das Schlagobers schmeckte fast so süß wie im Café Esplanade in Bad Ischl. Die großen Kastanien rauschten leise, zwischen den Blättern blitzte die Sonne hindurch, und im Kies hüpften die Spatzen. An den Tischen saßen Menschen, die das Vergnügen augenscheinlich längst schon gefunden hatten. Überall freundliche, offene Gesichter. Ein Stimmengewirr, das sich wie ein unsichtbarer Vogelschwarm im Garten verteilt hatte und aus dem hin und wieder ein einzelnes, helles Lachen herausflatterte. Diese ganze Fröhlichkeit legte sich Franz ein bisschen bitter aufs Gemüt. Er zahlte und ging zum Ponykarussell hinüber. Mit schweren Köpfen trotteten die Tiere im Kreis und trugen Kinder herum. Ein Mann mit einem riesigen Fotoapparat knipste Bilder, um sie später den Eltern zu verkaufen. Es wurde viel gelacht, umarmt und geküsst. Die jungen Mütter waren fast noch schöner als ihre Kinder, die jungen Väter standen stolz und aufrecht da und gaben Trinkgeld. Eines der Ponys hob mit einem Schnaufer den Schwanz und ließ ein paar Äpfel in den Sand plumpsen. In seinen Augen spiegelten sich der blaue Herbsthimmel und dahinter die Ahnung einer Freiheit jenseits aller Kinderhintern und Karusselle. Am benachbarten Stand kaufte Franz zwei fetttriefende, ungarische Fleischlaibchen und, um den penetranten Knoblauchgeschmack auszugleichen, eine riesige rosarote Zuckerwattenwolke. Das Übelkeitsgefühl, das ihn gleich danach überkam, spülte er mit einem weiteren Seidel Bier hinunter und ging zur Märchengrottenbahn, wo er sich als einziger Erwachsener in eines der hellblauen Wägelchen zwängte. Leicht ruckelnd ging die Fahrt durch eine von einer dicken Staubschicht bedeckten Fantasielandschaft. Überall standen, saßen oder gingen Märchenfiguren herum. Rotkäppchen stapfte durch den Wald, der Froschkönig hockte auf dem Brunnenrand, Rumpelstilzchen hüpfte ums Feuer und gleich dahinter ließ Rapunzel ihre Hanfhaare aus dem Turmfenster in die Tiefe. Franz dachte an zuhause. Früher hatte ihm die Mutter diese Geschichten aus einem abgegriffenen Buch vorgelesen. Er selbst war damals noch so klein, dass er sich bequem in ihrem Schoß zusammenrollen und den Worten lauschen konnte, die wie weiche, warme Tropfen auf ihn herunterfielen. Als Franz langsam am Aschenputtel vorbeiruckelte, kamen ihm die ersten Tränen, und bei der Fahrt um das Lebkuchenhaus schluchzte er bereits in seine offenen Hände hinein. Eine heiße Welle nach der anderen stieg in ihm auf und schüttelte ihn durch. Er dachte an die Hütte, an den Herd, an den See, an die Mutter, und hinter dem dichten Schleier seiner

Tränen zog die Märchenlandschaft in einem einzigen verschwommenen Farbenstrom vorüber.

Als der junge Fahrgeschäftsgehilfe, der mit schläfriger Lässigkeit am Ausgang lehnte, sah, wie Franz zusammengekrümmt und mit tränennassem Gesicht aus der Grottendüsternis ins helle Sonnenlicht geruckelt kam, schnippte er im hohen Bogen seine Selbstgedrehte weg und raffte sein ganzes tröstendes Feingefühl zusammen: »Das Leben ist halt kein Märchen, Freunderl – aber irgendwann ist sowieso alles vorbei!«

Draußen rieb sich Franz ein paar Mal mit dem Ärmel übers Gesicht und schnäuzte sich in das Taschentuch, das er eigentlich nur zu dem Zweck dabei hatte, einem eventuell in Erscheinung tretenden Mädchen ihren Stuhl oder ihre heiße Stirn oder sonst irgendwas abzuwischen. Langsam ging er an den Fahrgeschäften vorüber, an Schießbuden und Fressständen, am Autodrom, am Watschenmann, an der Dicken Berta, am bunten Freudenrad und an der Großen Geisterbahn. Irgendwo tief in seinem Inneren plätscherte es noch einmal leise, eine letzte kleine Welle der Traurigkeit, dann war es vorbei.

Doch gerade, als er mit dem festen Entschluss, den Rest des Nachmittags in großen Mengen von Bier und anderen Getränken zu versenken, den schattigen Gastgarten des *Stillen Zechers* betreten wollte, wurde er von einer ganz anderen, weitaus größeren, heißeren und wilderen Welle erfasst, umspült und durchgeschüttelt: direkt vor ihm, in vielleicht zehn Metern Entfernung, stieg ein Gesicht in den Himmel auf, ein rundes Mädchengesicht, hell und lachend und umrahmt von einem Strahlenkranz strohblonder Haare. Es war das schönste Gesicht, das Franz (die vielen bunt geschminkten Titelbildgesichter aus Otto Trsnjeks Zeitschriftensortiment mit eingeschlossen) je in seinem Leben gesehen hatte. Und hoch oben, in schwindelerregender Höhe, blieb dieses Gesicht für einen Augenblick einfach stehen, ein rosiger Fleck in der blauen Weite des Himmels, stieß einen hellen Juchzer aus, sauste gleich darauf mit fliegenden Haaren hinunter, nur um eine Sekunde darauf wieder aufzusteigen. Und es war genau diese eine Sekunde, die Franz brauchte, um zu verstehen, dass er vor einer Schaukel stand. Eine riesige Schaukel, deren Gondeln wie Schiffe auf hoher See hinauf und hinunter schwangen. Auf einem Holzschild über dem Eingang war in ausladender Pinselschrift geschrieben: DAS GEWALTIGE STURMBOOT! HÖCHST AMÜSANT! FÜR GROSS UND KLEIN! ALLES ERFREUT SICH! ALLES LACHT! BITTE STEIGEN SIE EIN! Franz beschloss, sich nicht mehr zu rühren. Regungslos, den Blick immer auf das auf und ab sausende Mädchengesicht geheftet, wartete er, bis die Schiffsgondeln ausgependelt hatten und die Fahrgäste lachend und quietschend herausgetaumelt kamen. Als ihm das Mädchen (flankiert von zwei Freundinnen, die er allerdings nur als gestalt-, gesichts- und belanglose Schatten wahrnahm) schließlich entgegenkam, zwang er sich mit aller Kraft aus seiner selbstgewählten Erstarrung, ballte die Fäuste in den Hosentaschen und stellte sich ihr mit einer Entschlossenheit in den Weg, die plötzlich aus seinen unerforschten Tiefen hervorflammte und seinen Worten einen, wie ihm in diesem Moment vorkam, geradezu leuchtenden Nachdruck verlieh: »Guten Tag, ich

heiße Franz Huchel, komme ursprünglich aus dem Salzkammergut und möchte mit Ihnen Riesenrad fahren!«

Interessanterweise fiel das Mädchen nicht in das Gelächter ihrer Begleiterinnen ein, sondern betrachtete ihn
eine Weile wie eine Zoobesucherin ein vom Aussterben
bedrohtes Tier, blieb schließlich mit ihrem Blick an seinen flackernden Augen hängen, aus denen sich die Entschlossenheit längst schon wieder verabschiedet hatte, und
sagte: »Riesenrad nicht, aber schießen möcht ich, bitteschön!«

Genau genommen sagte sie nicht »möcht ich, bitteschön«, sondern »mecht ich, bittascheen«. Es war die leicht
erkennbare Unfähigkeit der vielen in Wien ansässigen
Böhmen, Umlaute auszusprechen. Eine Böhmin also,
dachte Franz, ohne aus diesem Gedanken allerdings einen
irgendwie brauchbaren Nutzen ziehen zu können, und
bot ihr stumm seinen Arm an, um sie zur großen Schießbude zu geleiten. Erfreulicherweise verabschiedeten sich
ihre beiden Freundinnen sofort, nur um sich gleich darauf an die breiten, mit beeindruckenden Reihen bunter
Orden dekorierten Schultern zweier ziemlich bierseliger
Bundesheeroffiziere zu hängen.

An der Schießbude erklärte ein Mann mit vernarbter
Halbglatze und stumpfem Blick die Regeln: Man konnte
wahlweise auf Zielscheiben, Luftballons oder auf bunte
Türkenköpfe zielen. Schoss man einem der Türken ein
Loch ins Gesicht, gab es ein paar Punkte mehr, traf man
ihn an einer bestimmten Stelle auf der Stirn, klappte mit
einem hölzernen Geräusch sein Turban nach vorne und

man bekam eine Freirunde. Zu gewinnen gab es Zucker-
stangen, Papierrosen und echte Lavendelsträußchen. Aus
den Augenwinkeln sah Franz, wie sich das böhmische
Mädchen vorbeugte, das Gewehr an die Wange legte und
den Finger über dem Abzug krümmte. Es war ein kurzer
Finger, rosig und rund. Überhaupt war alles rund an ihr:
die kleinen Ohren, die Nase, die gewölbte Stirn, die geschwungenen Augenbrauen, die großen, braunen Augen.
Ihr Blick war ruhig auf die schwarze Mitte der Ziel-
scheibe gerichtet. Er wäre gerne in diesen Blick, in diese
Augen eingetaucht, ein Kopfsprung mitten hinein in die
Glückseligkeit. Er musste an das hölzerne Regenfass,
zuhause, gleich neben dem Hütteneingang, denken. Das
Wasser darin war anders als das Wasser im See. Es war
bräunlich und trüb, außerdem roch es ein bisschen komisch. Einmal hatte der kleine Franz es nicht mehr ausgehalten, aus Neugier, und weil es so heiß war, mitten im
August, zum Ende der Sommerferien. Sorgfältig hatte
er jeden einzelnen der dünnbeinigen Wasserläufer von
der Oberfläche geschnipst, dreimal tief Luft geholt und
schließlich seinen Kopf mitsamt dem halben Oberkörper
in die Tonne getaucht. Drinnen war es angenehm kühl.
Im Wasser schwebten winzige Teilchen wie dunkler
Schnee, und der Boden war bedeckt von einer dicken,
schon halb vermoderten Laubschicht. Er streckte seine
Arme aus und wühlte mit den Fingern in der Blätter-
masse. Es fühlte sich grauslig an. Schmierig und kalt, aber
irgendwie auch schön. Ein kleiner Schauder durchlief
ihn, als er mit den Fingerspitzen auf etwas Weiches, Pral-
les, Haariges stieß. Hinter dem dichten Schleier der

Schwebeteilchen tauchte der Körper einer toten Ratte auf. Sie musste erst vor Kurzem in die Tonne gerutscht sein und hatte es wohl nicht mehr aus eigener Kraft geschafft, die bemooste Wand hinaufzuklettern. Sie lag auf der Seite, ihr Körper war fast vollständig erhalten, nur an der Stelle des linken Auges klaffte ein tiefes, schwarzes Loch. Franz begann zu schreien, die Ratte verschwand hinter den dicken Blasen seiner Atemluft. Er tauchte auf, kletterte aus dem Fass und begann zu rennen. Immer noch schreiend lief er ums Haus und weiter über die Wiese bis ans Ufer hinunter, wo die Mutter große Wäschestücke an die Leine zwischen den beiden Birken hängte. Er kroch unter ihren Rock, umklammerte ihre Knie und wusste, dass er für den Rest seines Lebens, zumindest aber bis zum Ende der Sommerferien, dort unten, in der Sicherheit zwischen den schmalen Schenkeln der Mutter sitzen bleiben würde.

»Plopp« hörte er, als sie abdrückte und ihr Schuss ins Schwarze traf. Sie machte einen kleinen Hüpfer auf den Zehenspitzen und quietschte vor Vergnügen, brachte jedoch das Gewehr gleich wieder in Stellung. Franz versuchte die Trockenheit in seinem Mund wegzuschlucken. Erst jetzt hatte er die Zungenspitze zwischen ihren Schneidezähnen bemerkt: ein rosiges Tierchen, das vorsichtig ins Freie hinausfühlte, kurz und feucht die Oberlippe antippte und in seine Höhle zurückschnellte, nur um sofort wieder aufzutauchen und die, in der Mitte von einer dunklen Lücke durchbrochene, wie eine Perlenkette schimmernde Zahnreihe abzutasten. Niemals hätte er es für möglich gehalten, dass ihn eine böhmische Zahnlücke einmal so aufrühren würde. Die Säfte wallten mit solcher Gewalt in seinem Körper herum, dass er für einen Augenblick fürchtete, seine innere Aufrichtung zu verlieren und wie ein ausgeleerter Sack zu ihren Füßen niederzusinken. »Plopp« machte es wieder, und einer der Türken verlor seinen Turban. »Bumm, tot!«, rief das Mädchen, und Franz musste hilflos mitansehen, wie sich ihre Oberlippe dabei ein kleines Stückchen nach vorne wölbte. Mit einem sanften Stups ihrer Hüfte forderte sie ihn auf, sein Gewehr anzulegen. Er gehorchte, aber seine Hände zitterten, und obendrein machte ihm eine schmerzhafte Erektion zu schaffen, die er zu verbergen suchte, indem er seine Lenden so eng wie möglich gegen die Schießbudenbretter presste. »Plopp« machte es auch bei ihm, doch der Schuss ging daneben. Das Mädchen lachte, der Schießbudenmann lachte, und sogar die Türkenköpfe schienen ihre goldenen Zähne seinetwegen zu blecken. Obwohl die Sonne inzwischen hinter den Dächern der Fahrgeschäfte verschwunden war, schwitzte er. Der Schweiß lief ihm in einem dünnen Rinnsal den Rücken hinunter und sammelte sich am Unterhosenbund. Er kniff ein Auge zu und drückte noch einmal ab. »Plopp«. Daneben. Am liebsten wäre er davongelaufen, weit weg, in seine Kammer hinter dem Verkaufsraum, nach Hause in sein Bett am See oder einfach nur zurück in die Grottenbahn, um dort im dunklen Märchenstaub bis ans Ende seiner Tage einsame Runden zu drehen. Da spürte er plötzlich ihre Hand auf seinem Hintern. Sie hatte das Gewehr abgelegt und lächelte ihn an. »Schießen kannst ned, aber a scheenes Popscherl hast!«, sagte sie, und in diesem Moment war ihm klar, dass er verloren war.

Sie gingen hinüber ins Schweizerhaus, wo in dem weitläufigen Gastgarten eine Musikkapelle aufspielte und die bunten Lampions in den Baumkronen aufglommen. Bei einem schnauzbärtigen Kellner bestellten sie zwei Krügel Budweiser und zwei Kartoffelpuffer, die beim Hineinbeißen zart knisterten und aus denen das heiße Fett herausquoll und auf die Tischdecken tropfte. Das Mädchen unterhielt sich auf Tschechisch mit dem Kellner, und während Franz dieser seltsam dunklen Sprachmelodie lauschte, betrachtete er die Wölbung ihrer Oberlippe mit dem verlorenen Blick eines Träumenden. Sie lachte, und der Schnauzbart lachte, und bevor Franz ihn um zwei weitere Krügel wegschicken konnte, beugte sie sich zu ihm über den Tisch, legte ihre Hand an seine Wange und gab ihm einen Kuss mitten auf die Stirn. »Jetzt tanzen!«, rief sie, und Franz' Kopf begann zu leuchten wie die Lampions in der Kastanie über ihm.

Arm in Arm gingen sie quer durch die Tischreihen zum Tanzboden hinüber, und als sie das rhythmische Beben der Bretter unter ihren Füßen spürten, drehte sie sich zu ihm, legte eine Hand an seine Schulter, umfasste mit der anderen seine Taille und begann sich im Rhythmus der Musik zu wiegen. Franz konnte nicht tanzen und mochte nicht tanzen. Zuhause hatte er es immer abgelehnt, sich mit irgendwelchen prallen Bauernmädeln im Kreis zu drehen, deren Busen fast ihre Dirndl sprengten und die ihm aus glänzenden Mondgesichtern entgegengrinsten. Auch den Frühschoppen im *Goldenen Leopold* hatte er immer gemieden, und selbst beim sommerlichen Seefest war er stets ganz am Rande gesessen und hatte sich bewegungslos und still seinen weit über die Seefläche dahinfliegenden Gedanken gewidmet. Nun aber tanzte er. Erst waren seine Bewegungen noch ein bisschen steif und zögerlich, doch bald schon wurden sie weicher, geschmeidiger und freier, bis er schließlich in einem Augenblick seliger Geistlosigkeit losließ und sich in den Armen dieser runden, böhmischen Königin fallen, treiben, wiegen und schaukeln ließ. Er fühlte ihre Hand, die langsam an seiner Hüfte entlangwanderte und wieder auf seinem Hintern landete. Er sah ihr in die Augen, sah ihr Lächeln, sah ihre kleine Oberlippenwölbung und sah ihre Zahnlücke. Und als er ihren Busen an seinem Bauch spürte, gab er es endgültig auf, seine mittlerweile ins Ungeheure herangewachsene Erektion verbergen zu wollen.

Sie tanzten, bis ihre Füße brannten. Und jedes Lied war noch ein bisschen schmalziger und noch ein bisschen herzzerreißender als das vorhergehende: *Du sollst mein Glücksstern sein, Merci Mon Ami, Ich werde jede Nacht von Ihnen träumen, Paris, du bist die schönste Stadt der Welt, Mein Herz ruft immer nur nach dir, o Marita* und so weiter. Nach dem ungefähr zehnten Stück brauchten die Musikanten eine Bierpause und verließen die Bühne in Richtung Schank. Immer noch klebte das Mädchen an Franz' überhitztem Körper, und plötzlich spürte er ihre Lippen an seinem Ohr. »Haben wir gesoffen, haben wir getanzt – und was machen jetzt?«, flüsterte sie und Franz brauchte keinen Spiegel, um zu wissen, dass er wie ein glücklicher Idiot aus seinem feuerroten Gesicht herauslächelte. »Ich hab noch zweieinhalb Schilling«, sagte er mit leicht brüchigem Timbre. »Das sind entweder vier Krügel Bier, ein

paar Runden auf dem Schießstand oder eine Doppel-
runde im Riesenrad!«

Das Mädchen trat einen Schritt zurück und sah ihn an.
Ein ungläubiges Erstaunen lag in ihrem Blick, und für
einen winzigen Moment kam es Franz vor, als wären ihre
braunen, warmen Augen erstarrt. Wie Bernstein, dachte
er, wie die beiden Bernsteintropfen, die er einmal als
Erstklässler in der Bad Ischler Heimatausstellung gesehen
hatte, nur dunkler und größer und ohne eingeschlossenes
Insekt darin. Doch schon in der nächsten Sekunde begannen ihre Augen wieder zu glänzen, ihre Gesichtszüge
lösten sich und sie fing an zu lachen. Es war ein kurzes
Lachen, hell und spitz, ähnlich dem Juchzer, den sie ganz
oben auf dem Sturmboot ausgestoßen hatte. Sie umarmte
Franz und drückte ihm einen Schmatzer auf die Wange.
»Gleich wieder da, Burschi!«, sagte sie, drehte sich um
und ging. Gebannt beobachtete Franz, wie ihr Hintern
im Takt ihrer Schritte schaukelte, so wie er eben noch
zum Rhythmus von *Merci Mon Ami* geschaukelt hatte.
Wie das sanfte Wiegen der kleinen Fischerboote dachte
er und sah, wie sie in der hölzernen Baracke verschwand,
in der sich die Toiletten befanden. Dann ging er zum
Tisch zurück, setzte sich und bestellte noch zwei weitere
Krügel Bier.

Es dauerte ungefähr eine halbe Stunde, bis er endgültig
begriffen hatte, dass sie ohne ihn gegangen war. Vielleicht war sie, vom beständigen Gewusel der vielen kom-
menden und gehenden Gäste geschützt, durch den Gastgarten gelaufen, vielleicht hatte sie sich einfach durch den

Hinterausgang neben der Küche fortgeschlichen. Jedenfalls war sie nicht mehr zu finden. Mehrmals war er die Tischreihen abgegangen, hatte jeden einzelnen Kellner nach ihr gefragt, sie drinnen in den leeren Gasträumen gesucht und sogar unter dem empörten Gekreische der Besucherinnen die Damentoilette betreten. Doch das böhmische Mädchen war weg.

Er stürzte die mittlerweile warm gewordenen Biere hinunter, verlangte mit schwerer Zunge die Rechnung und verließ den Gastgarten, in dem die Musik längst wieder aufzuspielen begonnen hatte und die Pärchen sich in enger Umarmung zu *Was klopft da so weich in deiner Brust?* wiegten. Mit hängendem Kopf, die Hände tief in den Hosentaschen vergraben, ging er durch den jetzt schon stark ausgedünnten Strom der Praterbesucher und hob den Blick erst wieder, als er direkt unter dem Riesenrad stand. Mit seinen restlichen Münzen erstand er eine Karte und bestieg als einziger Fahrgast den letzten Waggon der letzten Umdrehung dieses Abends. Als die Gondel sich mit einem dumpfen Rucken hob und langsam höher stieg, breitete sich unter ihr die lichtergesprenkelte Stadt aus. In der Tiefe das Pratergewusel. Dort der Stephansdom. Da die Votivkirche. Ganz hinten der Kahlenberg, ein dunkler Schattenriss im Nachthimmel. Franz legte seine Wange an das abgegriffene Holz eines Fensterrahmens und schloss die Augen. Und als der Waggon an der höchsten Stelle angekommen war und das Rad für einen Moment stillstand und Franz das leichte Schaukeln unter seinen Füßen spürte und draußen den Wind pfeifen hörte, ballte er die Faust, holte aus und schlug so fest gegen die Bretterwand, dass die beiden Tauben, die sich auf dem Gondeldach schon lange zur Ruhe gehockt hatten, erschreckt aufflatterten und in der Weite der Nacht verschwanden.

Am nächsten Morgen wurde Franz in seinem Kämmerchen von einem ungewöhnlichen Lärm geweckt. Draußen wurde die Tür mehrmals unter heftigem Geklingel aufgerissen und wieder zugeschlagen, wütendes Geschrei war zu hören. Franz erkannte Otto Trsnjeks aufgebrachte Stimme, unterbrochen vom heiseren Bass des Fleischermeisters Roßhuber und immer wieder übertönt vom Gejohle einer kleineren Menschenmenge. So schnell es ihm sein erbärmlicher Zustand erlaubte, stieg er aus dem Bett und schlüpfte in seine Sachen. Sein Kopf tat ihm weh, und die Knöchel seiner rechten Hand waren schmerzhaft geschwollen. Aus dem Spiegel starrte ihm blass und hohlwangig die Erinnerung an den gestrigen Abend entgegen. Er prustete in seinen Waschkübel hinein, gurgelte mit Seifenwasser, trocknete sich das Gesicht und ging hinaus. Um die Trafik hatte sich ein kleiner Auflauf gebildet, in dessen Mitte sich Otto Trnsjek und der Fleischermeister wie zwei lauernde Jahrmarktringer gegenüberstanden.

»Ach, bist du auch schon aufgekrochen?«, schrie ihm der Trafikant entgegen.

»Was ist denn los?«, stammelte Franz.

»Mach halt die Augen auf!«, Otto Trnsjeks Gesicht war dunkelrot, an seiner Schläfe wanden sich ein paar Adern wie ein Häuflein bläulicher Würmer. Mit einer seiner Krücken zeigte er zitternd vor Wut auf die Trafik. Das

Trottoir und die Ladenfront waren mit einer rotbraunen Flüssigkeit beschmiert. Es sah aus, als hätte jemand mehrere Kübel Farbe oder Dreck verspritzt. An der Auslagenscheibe stand in großen, zerlaufenen Buchstaben: SCHLEICH DICH, JUDENFREUND!, und an der Mauer neben der Eingangstür prangte ein rundes Gebilde, ungeschickt und offensichtlich eilig hingeschmiert, trotzdem aber eindeutig als riesiges, menschliches Hinterteil mit rudimentären Gesichtszügen zu erkennen: ein sogenannter »Arsch mit Ohren«.

Franz trat einen Schritt an die Auslage heran und berührte mit einem Finger vorsichtig das »J« vom JUDENFREUND. Die Schmiererei war anscheinend mit einem groben Pinsel aufgetragen worden und fühlte sich eklig an – an den Rändern trocken und verkrustet, an den etwas dickeren Stellen immer noch klebrig und feucht. Zudem verbreitete sie einen widerlichen Gestank: ranzig, süßlich, aber auch ein wenig sauer.

»Was ist das?«, fragte er leise.

»Blut!«, schrie Otto Trsnjek. »Schweineblut! Von unserem liebenswerten Nachbarn Roßhuber höchstpersönlich hingeschmiert!«

»Was erst zu beweisen wäre«, meinte der Fleischermeister ruhig. »Außerdem ist das Blut nicht von einer Sau, sondern von einem Hendl. Das sieht ja wohl ein jeder!«

»Dann eben von mir aus von einem Hendl!«, brach es aus Otto Trsnjek heraus. »Und wer hat wohl den ganzen Tag mit den Viechern zu tun? Und wer ist so hirntot, sein Selbstporträt neben meine Tür zu pinseln? Und wer trägt schon sein halbes Leben das Hakenkreuz hinterm Revers und wartet nur auf die Gelegenheit, es hervorzukehren?«

»Was mir hinterm Kragen steckt, geht dich einen Scheißdreck an«, meinte Roßhuber und verschränkte seine riesigen Arme vor der Brust. »Und das Porträt trifft schon genau den Richtigen!«

»Und deine Händ'?«, brüllte Otto Trsnjek.

»Was ist damit?«

»Da klebt ja noch Blut dran!«

»Was soll denn sonst dran kleben? Immerhin bin ich ein Fleischhacker!«

Otto Trsnjek schluckte. Für einen Moment sah es so aus, als würde er seine Krücken fallen lassen und dem Fleischermeister an die Gurgel gehen. Doch plötzlich wandte er sich dem Kreis der Umstehenden zu, der sich immer enger um das Geschehen gezogen hatte und mittlerweile zu einer beachtlichen Menschenansammlung angewachsen war.

»Dieser Mensch!«, holte er aus. »Dieser sogenannte Fleischhacker – den man allerdings viel zutreffender als einen Wurstpanscher bezeichnen sollte, weil er nämlich seine Würste mit altem Fett und Sägemehl streckt –, dieser sogenannte Mensch und Wurstpanscher also, hat Blut an den Händen. Außerdem hat er Scheiße im Hirn und die schwarze Gemeinheit im Herzen. Und wenn man sich so umschaut, ist er damit nicht alleine. Bis jetzt hat nur eine Sau dran glauben müssen. Oder von mir aus ein paar Hendln. Bis jetzt ist nur das Geschäft eines Trafikanten besudelt worden. Aber hier und heute frage ich euch: Was oder wer kommt als Nächstes dran?«

Niemand sagte etwas, einige Leute grinsten, einige schüttelten den Kopf, jemand ging, andere kamen dazu und drängelten sich zwischen die Schaulustigen.

»Einer hat Blut an den Händen, und die anderen stehen da und sagen nix. So ist es immer!«, fuhr Otto Trsnjek fort, während Roßhuber mit einem schiefen Lächeln daneben stand. »So ist es immer, so war es immer, und so wird es immer sein, denn so steht es wahrscheinlich irgendwo geschrieben, und so ist es eingeimpft in die unendlich blöden Schädel des Menschengeschlechts. Aber in meinem eben noch nicht, meine Herrschaften! Mein Schädel geht noch so, wie er selber will. Ich tanz nicht mit auf eurer Veranstaltung. Ich pflanz mir kein Hakenkreuz hinters Revers, ich pansch keine Wurst, ich treib mich nicht im Dunkeln auf dem Trottoir herum, um unschuldige Häuser mit Arschgesichtern vollzuschmieren, ich schweige nicht, und an meinen Händen klebt kein Blut, sondern allerhöchstens Druckerschwärze!«

Plötzlich schien ihm die Kraft auszugehen. Sein Kopf sackte zwischen seine Schultern, und er starrte aufs Pflaster hinunter. Für einige Sekunden war es still vor der Trafik. Nur die Krückengriffe, um die sich Otto Trsnjeks Finger krampften, knirschten leise. Schließlich gab er sich einen Ruck. Mit einem lang gezogenen Schnaufer richtete er sich wieder auf, wandte sich dem Fleischermeister zu und spie ihm zusammen mit ein paar Spucketröpfchen die abschließenden Worte entgegen: »Und noch etwas, Roßhuber: 1917 hab ich für unser Land ein Bein in einem schlammigen Erdloch gelassen. Geblieben ist mir dieses eine hier. Es ist alt, ziemlich hüftsteif und fühlt sich

manchmal ein bisserl einsam – aber für einen ordentlichen Arschtritt wird es notfalls immer noch reichen!«

Damit ließ er den Fleischermeister mitsamt den anderen Leuten stehen und verschwand mit zwei kräftigen
Krückschwüngen in seiner Trafik. Hinter ihm knallte die
Tür derart heftig ins Schloss, dass die Scheiben schepper-
ten und sich das Gebimmel der Glöckchen zu einem
geradezu stürmischen Fortissimo erhob.

In den Wochen nach diesen Ereignissen war Franz immer
wieder in den Prater gefahren, um sich auf die Suche
nach dem Mädchen zu machen. Stundenlang hatte er
Straßen und Gassen durchstreift, war in Wirtshäusern gesessen oder vor dem Sturmboot herumgelungert, stets in
der Hoffnung, das Gesicht mit den strohblonden Haaren
irgendwo aufgehen zu sehen. Vergebens. Zudem war es
in letzter Zeit ungemütlich geworden. Der Winter war in
diesem Jahr früher als sonst hereingebrochen, mit dem
kalten Nieselregen mischten sich erste Schneeflocken,
und bald lagen die Fahrgeschäfte unter einer dichten
Schneedecke, und eines nach dem anderen musste seinen
Betrieb einstellen. Nur ein paar Buden, die Gasthäuser
und das Ponykarussell trotzten der Kälte und dem Schnee.
Frierend stand Franz vor dem Rondeau und beneidete
die Pferde, denen mittlerweile ein wolliges Winterfell ge-
wachsen war und die, unbelästigt von der Liebe und
anderen Verirrungen, ihre Runden in den kalten Sand
stapften.

Nachts lag er oft stundenlang wach, dachte an die böhmische Zahnlücke und wälzte sich in seiner eigenen

Hitze. Fiel er schließlich doch in den ersehnten Schlaf, stürzten sofort wilde Träume auf ihn ein: Schweineblut tropfte von der Decke direkt in das runde Fass, das sein Schädel war, das Bett schaukelte hoch und höher, bis in dieses sonnenhelle Juchzen hinaus, durch eine riesige, schwarze Lücke hindurch und mit einem blauen Wägelchen in die ewige Grottendunkelheit hinein. Seine Mutter erschien und strich Otto Trsnjek mit dem Handrücken übers Bein, worüber Sigmund Freud so herzhaft lachen musste, dass ihm der Hut vom Kopf flog und er seine Flügel ausbreitete und hoch über den Votivkirchenspitzen der untergehenden Sonne hinterhersegelte.

Wenn es zu schlimm wurde, schlich Franz durch die kleine Hinterhoftür aus der Trafik und ging so lange ziellos durch die Straßen, bis das Hufgeklapper der Milchwägen zu hören war und über den vereisten Dächern der Wintermorgen graute. Dieses Gehen in den nachtstillen Straßen beruhigte ihn, er hörte den Schnee unter seinen Schritten knirschen und sah seinen Atemhauch wie ein zartes Fähnchen vor seinem Gesicht dahinwehen. Im frühen Dämmerlicht, wenn die Laternenwärter auf ihre Leitern stiegen und die Gaslaternen löschten und sich die ersten Arbeiter mit schattigen Gesichtern auf ihren Weg zur Frühschicht machten, bewegte er sich nur mehr in einem nebeligen Schwebezustand zwischen Wachen und Träumen. Und während er dann müde und langsam zur Trafik zurückschlich, begegnete ihm an jeder Ecke das böhmische Mädchen. Böhmisches Mädchen unter der Laterne. Böhmisches Mädchen hinterm Zaun. Böhmisches Mädchen im Hauseingang, das Gesicht von der

Glut einer Zigarette erhellt. Böhmisches Mädchen im Schaufenster, die Arme nach ihm ausgestreckt und lächelnd.

(Karte mit Schönbrunner Schlosspark, laternenbeleuchtet und schneeüberzuckert)

Liebe Mutter,
jetzt bin ich schon eine ziemliche Weile hier in der Stadt, allerdings kommt mir ehrlich gesagt alles immer fremder vor. Aber vielleicht ist es ja so mit dem ganzen Leben: Man entfernt sich von Geburt an und mit jedem einzelnen Tag ein bisschen weiter von sich selbst, bis man sich irgendwann gar nicht mehr auskennt. Kann es sein, dass es wirklich so ist? Fragt mit vielen Grüßen,
Dein Franz

(Karte mit Attersee, grün schimmernd wie ein Schmuckstück, offenbar von einem Flugzeug oder einem Zeppelin aus aufgenommen)

Lieber Franzl,
hast Du Dich vielleicht verliebt? Das wäre nämlich eine Erklärung für Deine Zustände. Sich verlieben heißt ja bekanntlich: sich nicht mehr auskennen. Zu Deiner Frage kann ich Dir sagen: Das ganze Leben ist ein fortwährendes Auseinandergehen. Als Mutter weiß man das genau. Aber so ist es halt, und man gewöhnt sich daran. Ansonsten hoffe ich, Dir geht es gut und Du machst dem Otto Trsnjek keine Schande. Bei uns am See gibt es einstweilen

nichts Neues, und das ist eigentlich auch ganz angenehm.
Es grüßt Dich mit einer festen Umarmung,
Deine Mama

»Du schaust schlecht aus«, sagte Otto Trsnjek, ohne von seiner Buchhaltung aufzusehen.

»Was?«, fragte Franz verwirrt und hob den Kopf, der ihm gerade wieder nach vorne auf die Brust gekippt war. Seit er im Prater sein Glück gefunden und gleich darauf wieder verloren hatte, waren mittlerweile zwei Monate vergangen. Zwei Monate voller trüber Tage und schlafloser Nächte.

»Schlecht schaust du aus!«, wiederholte Otto Trsnjek. »Hundsmiserabel, um genau zu sein. Wie des Todes unseliger Großvater. Kalkweiß, zaundürr, hundemüde und mindestens zehn Jahre älter, als du bist. Wenn das so weitergeht, kannst du nächstes Jahr Rentengeld beantragen.«

»Nein, nein, mir geht es gut«, sagte Franz schnell und bückte sich nach der Zeitung, die seinen schlaffen Händen entglitten war. »Vielleicht macht mir das Wetter irgendwie zu schaffen, aber sonst ist alles in Ordnung.«

»Was stimmt denn nicht mit dem Wetter?«

»Es ist … ein bisserl kalt.«

»Es ist ja auch Winter.«

»Ja«, seufzte Franz leise, »Winter.«

Über den Brillenrand hinweg blickte der Trafikant zu seinem Lehrling, der jetzt seinen Kopf tief im Wirtschaftsteil zu verbergen suchte.

»Und was, außer dem überaus ungewöhnlichen Umstand, dass der Winter dieses Jahr schon im Dezember über uns hereingebrochen ist, bedrückt dich sonst noch?«

Es dauerte einige Sekunden, bis Franz seinen Widerstand aufgab. Doch dann ließ er die Zeitung endgültig auf die Dielen gleiten, sprang vom Hocker auf und rief voller Verzweiflung gegen die staubige Decke: »Ich habe mich verliebt!«

In einem winzigen Moment, ungefähr halb so lange wie es braucht, eine Schlagzeile zu überfliegen, hatte Otto Trsnjek die Brisanz des Themas erkannt. »Jesusmariaundjosef«, entfuhr es ihm, »das ist schlimm!«

»Mehr als schlimm!«, rief Franz aus. »Es ist eine Katastrophe! Was soll ich denn jetzt bloß machen?«

Otto Trsnjek überlegte. Schließlich zuckte er mit den Schultern. »Ich habe keine Ahnung. Geh ins Hallenbad und schwimm ein paar Runden. Das ist gut für die Knochen und macht die Gedanken frei!«

Franz ließ die Hände sinken und sah ihn an. Zum ersten Mal bemerkte er, wie klein der Trafikant war. Es war, als ob er geschrumpft wäre in letzter Zeit. Bald würde er sich endgültig aufgelöst haben, im staubigen Schatten seiner Zeitschriftenstapel.

»Ins Hallenbad?«

Otto Trsnjek kratzte sich hinterm rechten Ohr. Sein Blick wanderte langsam über die Verkaufstheke, glitt über deren Rand auf den Boden hinunter, kroch in kleinen Bögen über die Dielen und blieb schließlich irgendwo knapp vor Franz' Schuhspitzen hängen.

»Hör zu, ich verstehe nichts mehr von diesen Dingen. Früher vielleicht, da war in der Hinsicht noch was los mit mir. Frag deine Mutter, die wird sich wahrscheinlich daran erinnern. Aber das ist lange her. Ein halbes Menschenleben. Die Wahrheit ist: Mit dem Bein ist auch meine Jugend im Schützengraben liegen geblieben. So ist das und nicht anders. Das ist manchmal bitter, hat aber im Grunde genommen auch seine angenehmen Seiten. Mittlerweile kann mir die Liebe nichts mehr tun. In der Beziehung habe ich meine Ruhe, und wenn ich mich aufregen will, lese ich Zeitung. In der Welt passieren genug Unsinnigkeiten, da brauch ich so etwas nicht auch noch in meiner Trafik. Wenn ich dir also einen bescheidenen Rat erteilen darf, mein patscherter Lehrbub: Such dir für solche delikaten Sachen eine andere Ansprach', und lass mich damit in Frieden.«

Er lächelte ein wenig verlegen, blies dann sorgfältig die Spitze seiner Feder trocken und beugte sich tief über seine Bücher. Nach einer Weile setzte sich Franz wieder und beide schwiegen für den Rest des Tages.

In der Berggasse 19 hingen immer noch die wunderbarsten Düfte in der Luft: Es roch nach Frittatensuppe und Zwiebelrostbraten mit Petersilienkartoffeln sowie nach Vanillepudding, übergossen mit heißer Zartbitterschokolade und bestreut mit frisch gerösteten Mandelsplittern. Professor Sigmund Freud nahm seine Serviette ab, öffnete unauffällig den obersten Knopf seiner Hose und faltete mit einem zufriedenen Ächzen die Hände über seinem Bauch. Ausnahmsweise – und nur weil Martha, die Gattin des Professors, mit leicht erhöhter Temperatur und einem unangenehmen Reizhusten zwei

Zimmer weiter im Bett lag – war an diesem Sonntag seine Tochter Anna am Herd gestanden. Anna hatte sich über die Jahre nicht nur zu einer ungemein produktiven und einfühlsamen Psychoanalytikerin entwickelt (ja mehr noch: zu der einzig legitimen Nachfolgerin ihres Vaters und zur treuen Trägerin seines Werkes), sondern auch – was Freud insgeheim fast noch höher zu schätzen wusste – zu einer gleichermaßen begabten wie resoluten Köchin. Insbesondere den Zwiebelrostbraten verstand sie zuzubereiten wie kaum sonst jemand in Wien: Das Fleisch war saftig und auf den Punkt gebraten, die Zwiebeln in Mehl und Butter goldgelb geröstet und die Kartoffeln mit frischen, winzig gehackten Petersilienschnipseln bestreut. Freud betrachtete seine Tochter aus den Augenwinkeln. Immer noch stocherte sie mit ihrem Silberlöffelchen im Pudding herum und blätterte dabei in einem von Arthur Schopenhauers dicksten Schmökern. Sie hatte ihr Haar am Hinterkopf zu zwei schneckenartigen Gebilden aufgerollt, in denen ein paar Wintersonnenstrahlen glänzten, die sich für wenige Mittagsminuten in die Häuserschlucht der Berggasse und bis hierher, ins Esszimmer der Familie Freud, verirrt hatten. Es war ihm immer ein Rätsel gewesen, woher Frauen die Fingerfertigkeit und die Geduld nahmen, um auf ihren Köpfen derartige Strukturen zu errichten. Aus dem Schlafzimmer drang ein leises Krächzen, gefolgt von einem wohligen Stöhnen und einigen undefinierbaren Bettgeräuschen. Ach, das Weib, dachte Freud mit stiller Verwunderung, was will es, und was soll es uns? Im selben Moment spürte er Annas Blick auf sich gerichtet, diesen Blick, den er mehr liebte als alles andere in seinem Leben. »Ich schau lieber noch mal!«, sagte sie. Dann legte sie Löffel und Schopenhauer weg, ging zum Fenster und sah auf die Straße hinunter.

»Er ist immer noch da!«

Freud hüstelte. »Wie lange sitzt er schon da unten?«

»Um die drei Stunden.«

»Bei dieser Kälte?«

»Er hat einen Schal.«

Mit der Zungenspitze betastete Freud behutsam die Ränder seiner Kieferprothese. Diese scharfe Kante dort hinten müsste etwas geglättet werden und die Ecke an der Seite ein wenig abgeschliffen. Während des Essens waren die Schmerzen im Mund noch erträglich gewesen, aber jetzt wurde es langsam wieder schlimmer. Im Grunde genommen taugten die Herren Doktoren ja alle nichts. Vielleicht sollte er beim nächsten Mal einen Tischler aufsuchen. Oder gleich einen Grabsteinschleifer. Eine Weile starrte er mit ausdruckslosem Blick vor sich hin. Ein einzelnes Mandelstückchen lag auf dem Tischtuch neben der Brotschale. Er tippte es mit der Fingerspitze auf und schob es sich in den Mund. Dann, mit einem Seufzer, der das Leid des ganzen Menschengeschlechts in sich zu bergen schien, stand er auf und sagte: »Ich rauche heute draußen!«

Franz sprang sofort auf, als drüben das schwere Tor aufging und der Professor ins Freie trat. Fast hätte ihn der Schwung seiner eigenen Beflissenheit gleich wieder umgerissen, seine Beine waren steif wie Bretter, und der Hintern schmerzte vom stundenlangen Sitzen auf der kalten

Holzbank. Aber jetzt stand er da und sah, wie der Professor auf etwas wackligen Beinen und in seiner vorgebeugten Haltung die Straße überquerte und direkt auf ihn zukam.

»Darf ich mich setzen?«, fragte Freud und ließ sich, ohne eine Antwort abzuwarten, auf der Bank nieder. Mit spitzen Fingern fischte er ein mattsilbriges Schächtelchen aus seiner Manteltasche und entnahm ihm eine Virginia. Doch ehe er sich den Stumpen zwischen die Lippen stecken konnte, saß Franz schon neben ihm und hielt ihm eine lange, schlanke Zigarre vors Gesicht. Der Professor schluckte. »Eine Hoyo de Monterrey«, sagte er mit leicht belegter Stimme. Franz nickte: »An den sonnigen, fruchtbaren Ufern des Flusses San Juan y Martínez von tapferen Männern geerntet und von deren schönen Frauen in zarter Handarbeit gerollt.«

Freud tastete die Zigarre in ihrer gesamten Länge sanft ab und drückte sie leicht zwischen Daumen und Zeigefinger.

»Eine aromatische Habano, die leicht im Geschmack ist, jedoch durch große Eleganz und Komplexität überzeugt«, sagte Franz mit einer Selbstverständlichkeit, die nichts davon erahnen ließ, wie viele mühevolle Nachtstunden es ihn gekostet hatte, die Beschreibungen auf der Zigarrenkiste auswendig zu lernen. Aus seiner Hosentasche holte er einen versilberten Zigarrenschneider und reichte ihn dem Professor: »Eine Habano soll genau über der Linie geschnitten werden – dort, wo sich Kappe und Deckblatt vereinen!«

Freud schnitt die Spitze ab und zündete die Hoyo mit einem fingerlangen Streichholz an. Dabei hielt er die

Flamme etwa einen Zentimeter entfernt und zog so lange daran, bis das Feuer das Brandende erreicht hatte. Dann drehte er sie langsam zwischen seinen Fingern und blies sachte auf die Glut. Mit einem leichten Lächeln lehnte er sich zurück und blickte dem bläulichen Rauch nach, der sich in der klaren Winterluft verkräuselte.

»So, und jetzt raus mit der Sprache: Was willst du?«

Franz räusperte sich umständlich, ruckelte seinen Hintern auf der Bank zurecht, räusperte sich noch einmal und wandte sich schließlich mit der verzweifelten Miene eines Ertrinkenden seinem Sitznachbarn zu.

»Ich habe mich verliebt, Herr Professor!«

Freud hielt die Zigarre gegen das Sonnenlicht und betrachtete sie versonnen.

»Ich gratuliere!«, sagte er. »Du verlierst nicht gerne Zeit, was?«

»Nein, Herr Professor, aber ich hab *sie* verloren!«

»Wen?«

»Das Mädchen!«

»Ich denke, du hast dich verliebt?«

»Ja, aber unglücklich!«, platzte es aus Franz heraus wie der Korken aus einer durchgeschüttelten Champagnerflasche. Freud, den seine Kieferprothese wieder zu quälen begann, legte den Kopf schief und starrte eine Weile in den leeren Raum zwischen Bank und Eingangstor. »Ut desint vires, tamen est laudanda voluntas«, sagte er schließlich, und es klang, als wollte er jedes Wort einzeln zwischen seinen Zähnen zermahlen.

»Wie bitte, Herr Professor?«

»Das heißt so viel wie: ›Kopf hoch!‹«

»Wie kann ein derartig langer Satz eine so kurze Bedeutung haben?«

»So ist das oft mit Sätzen. Wer viel redet, hat meist wenig zu sagen«, antwortete Freud ein wenig verdrießlich. »Im Übrigen: Was habe ich eigentlich mit der ganzen Angelegenheit zu tun?«

»Sie sind doch Schuld!«, rief Franz aus. »Sie haben mir doch empfohlen, mich zu amüsieren und mir ein Mädchen zu suchen!«

»Du machst also den Arzt zum Krankheitserreger?«

»Ach was!«, Franz sprang auf und begann mit ausladenden Schritten vor der Bank auf und ab zu gehen: »Ich verstehe nichts von Ärzten oder Krankheitserregern. Ich weiß nur, dass *ich* erregt bin! Und zwar dauernd und immer. Ich kann kaum arbeiten. Ich kann kaum schlafen. Ich träume blödsinnige Sachen. Ich renne bis zum Sonnenaufgang in der Stadt herum. Mir ist heiß. Mir ist kalt. Mir ist schlecht. Ich habe Bauchweh, Kopfweh, Herzweh. Alles auf einmal. Vor Kurzem bin ich noch am Ufer gesessen und habe den Enten zugesehen. Und kaum bin ich in der Stadt, geht alles drunter und drüber. Übrigens nicht nur in mir, sondern auch sonst überall. In den Zeitungen kann man es ja nachlesen: An einem Tag schreien alle nach diesem Schuschnigg. Am nächsten Tag schreien alle nach diesem Hitler. Und ich hocke in der Trafik und frage mich: Wer sind die beiden überhaupt? Ich putze Schweineblut von der Auslage und sitze heulend in der Grottenbahn. Ich tanze mit dem schönsten Mädchen der Welt. Und im nächsten Moment ist sie weg. Verschwunden. Nie da gewesen. Und jetzt frage ich Sie: Bin ich verrückt geworden? Oder ist die ganze Welt verrückt geworden?«

Professor Freud schnippte mit dem Zeigefinger die Asche von seiner Hoyo und blies behutsam gegen die Glut. »Erstens: Setz dich wieder«, sagte er ruhig. »Zweitens: Ja, die Welt ist verrückt geworden. Und drittens: Gib dich keinen Illusionen hin – sie wird noch viel verrückter!«

Franz ließ sich auf die Bank fallen und starrte unheilvoll vor sich hin. »Im Grunde genommen ist es mir ja egal, ob die Welt sich aus ihren eigenen Angeln reißt oder nicht. Das Einzige, was mich interessiert, ist dieses Mädelchen.«

»Wie heißt sie denn überhaupt?«

»Weiß ich nicht.«

»Du kennst nicht einmal ihren Namen?«

»Eigentlich weiß ich überhaupt nichts von ihr. Außer, dass sie eine Böhmin ist. Und dass sie die schönste Zahnlücke der Welt hat.«

»Die schönste Zahnlücke der Welt? Dich scheint es ja wirklich erwischt zu haben.«

»Sag ich doch.«

»Und was erwartest du nun von mir?«

»Sie sind doch Doktor! Und außerdem Professor.«

»Ja, und?«

»Sie haben Bücher geschrieben. Viele Bücher! Steht denn da gar nichts drinnen, was mir helfen kann?«

»Ehrlich gesagt: Ich glaube nicht.«

»Und wozu sollen dann die ganzen Bücher gut sein?«

»Das frage ich mich manchmal auch.« Freud zog die

Füße ein, drückte sich den Hut etwas tiefer in die Stirn und schlug mit einer Hand seinen Kragen hoch. Ein paar Zigarrenzüge lang saßen sie schweigend nebeneinander. Die Sonne war hinter den Dächern verschwunden, mittlerweile war es noch kälter geworden auf der Bank. Franz sah, wie die Hand des Professors leicht zitterte, als er die Zigarre zum Mund führte. Seine Haut war fleckig, spannte sich dünn wie Seidenpapier über die Sehnen und war durchzogen von einem feinen Netz bläulicher Adern. Jetzt erst fiel Franz auf, wie alt und zerbrechlich Freud war. Er wickelte sich seinen Schal vom Hals und reichte ihn dem Professor.

»Was soll ich damit?«, knurrte der Alte.

»Es ist Winter – und mit seiner Gesundheit spielt man nicht!«

»Ha!«, platzte Freud mit einem Anflug von bitterer Fröhlichkeit in seiner Stimme heraus. »Ich bin zu alt, um nicht mehr zu spielen!«

»Kein Mensch ist zu alt für den selbstgestrickten Wollschal meiner Mutter!«, entgegnete Franz streng und wand den Schal mit einer eleganten Bewegung um des Professors dürren Hals. Nach einem Augenblick ungläubiger Erstarrung reckte Freud sein Kinn aus der dichten Wolle heraus und beschäftigte sich wieder mit seiner inzwischen fast auf die Hälfte zusammengeschrumpften Zigarre.

»Diese junge Dame hat dich also sitzen lassen«, murmelte er vor sich hin. »So weit die Fakten. Meiner Ansicht nach hast du jetzt genau zwei Möglichkeiten. Möglichkeit Nummer eins: Hol sie dir zurück! Möglichkeit Nummer zwei: Vergiss sie!«

»Das ist alles?«

»Das ist alles.«

»Entschuldigen Sie vielmals, Herr Professor, aber wenn alle ihre Ratschläge sind wie dieser, verstehe ich nicht, warum die Leute so viel Geld bezahlen, um sich auf Ihre Couch legen zu dürfen!«

Freud seufzte. Für den Bruchteil einer Sekunde dachte er daran, einer tief in seinem Inneren aufsteigenden Zornempfindung nachzugeben und das Leben seiner Hoyo an der Stirn dieses impertinenten Bauernbuben auszudämpfen. Er entschied sich dagegen und blies stattdessen bläuliche Kringel in die Luft.

»Die Leute zahlen so viel Geld, weil sie von mir eben *keine* Ratschläge zu hören bekommen. Und vielleicht sollte ich dich daran erinnern, dass *du* es bist, der am Tag des Herrn drei Stunden vor meiner Haustür herumlungert, um mich anschließend mit einer – zugegeben hervorragenden – Zigarre zu bestechen und meinen Rat einzuholen!«

»Ich bin eben verzweifelt!«

»Jaja«, seufzte Freud, »an den Klippen zum Weiblichen zerschellen selbst die Besten von uns!«

»Und ich gehöre ganz bestimmt nicht zu den Besten.«

»Das wird sich erst herausstellen«, sagte der Professor und blickte zum Esszimmerfenster hinauf, wo Anna aufgetaucht war und ihm mit drohend erhobenem Zeigefinger unmissverständlich bedeutete, jetzt, gleich, sofort wieder ins Warme zu kommen.

»Ist das Ihre Tochter?«

Der Professor nickte. Mit dem breitesten Lächeln, zu

dem Franz mit seinen eingefrorenen Wangen fähig war, grüßte er zu Anna hoch, die prompt ihre Hand zu einem kleinen Winken hob, gleich darauf mit wenigen schnellen Bewegungen die Vorhänge zurechtzupfte und dahinter verschwand.

»Sie sieht ein bisschen aus wie meine Mutter. So von Weitem, meine ich.«

»Musst du mir unbedingt mein alttestamentarisches Alter vor Augen halten?«, murrte Freud. Er schloss die Augen und tat einen letzten, konzentrierten Zug an seiner Hoyo. Doch es war vorbei. Der Geschmack der Zigarre konnte kaum noch über die Schmerzen im Mund hinwegtrösten. Vorsichtig legte er den Rest des Stumpens auf der Armlehne ab und sah zu, wie die Glut langsam verglomm.

»So geht sie hin in Würde …«, murmelte er, als sie erlosch, und Franz nickte dazu. Sie sahen einander an.

»Und jetzt?«, fragte Franz.

»Jetzt verschreibe ich dir ein Rezept«, antwortete Freud, »respektive sogar drei Rezepte. Und auch wenn es vielleicht ein bisschen paradox klingt: Ich verschreibe dir diese Rezepte mündlich. Also pass auf, und merke sie dir gut! Erstes Rezept (gegen dein Kopfweh): Hör auf, über die Liebe nachzudenken. Zweites Rezept (gegen dein Bauchweh und die wirren Träume): Leg dir Papier und Feder neben das Bett und schreib sofort nach dem Aufwachen alle Träume auf. Drittes Rezept (gegen dein Herzweh): Hol dir das Mädchen wieder – oder vergiss sie!«

Die Sonne war längst verschwunden. Der kalte Wind blies ein paar Zeitungsfetzen die Berggasse hinunter.

Jemand öffnete sein Fenster, für einen Moment drang Musik ins Freie, irgendein blecherner Marsch, dann war es wieder ruhig. Der Professor gab sich einen mühevollen Ruck, und beide standen auf.

»Ich wünsche dir viel Glück, Franz!«, sagte er und streckte ihm seine Hand entgegen. Franz spürte die Finger des alten Mannes in seiner Hand, dürr und leicht wie ein trockenes Bündel Reisig.«

»Das kann ich gebrauchen!«

Freud hatte die Straße schon überquert und war dabei, den Hausschlüssel aus seiner Manteltasche zu ziehen, als ihn Franz' von der Kälte schon zittrige Stimme noch einmal einholte: »Darf ich vielleicht auch einmal auf die Couch, Herr Professor?«

Freud drehte sich um.

»Was willst du denn auf der Couch?«

»Weiß ich nicht. Aber wenn ich erst einmal draufliege, werde ich es schon herausfinden!«

Freud starrte den Buben ungläubig an. Er schob sich den Hut aus der Stirn und zwirbelte mit zwei Fingern seinen Bart zurecht.

»Zuerst die Rezepte – dann werden wir weitersehen, in Ordnung?«

»In Ordnung.«

Sie schwiegen für ein paar Sekunden. Schließlich verzog Freud seinen Mund zu einem krummen Lächeln und steckte den Schlüssel ins Schloss.

»Frohe Weihnachten, Franz!«

»Frohe Weihnachten, Herr Professor!«

Über die Weihnachtsfeiertage hatte die Trafik geschlossen. Otto Trsnjek hatte Franz vertrauensvoll Schlüssel und Verantwortung für die stillen Räume hinterlassen und war zu einer Großcousine nach Potzneusiedl ins Burgenland gefahren, um »der Seele und dem Bein in der burgenländischen Fadesse ein bisserl Ruhe zu gönnen«. Franz verbrachte die meiste Zeit in seinem Kämmerchen, einerseits, um Kraft für die anstehende Rückeroberung zu sammeln, und andererseits, weil ihn seit dem Sonntagnachmittag auf der Holzbank eine bösartige Erkältung plagte. Draußen schneite es seit Tagen ununterbrochen. Mittlerweile hatten die städtischen Räumkommandos, bestehend aus ausgemergelten Arbeitslosen und Bundesheersoldaten mit kindlichen Bauernbubengesichtern, den Schnee bis zur halben Höhe der Auslagenscheiben aufgehäuft. In der Trafik war es schummrig und still und Franz hatte seine Ruhe. Meistens lag er im Bett und vertrieb sich die Zeit damit, dem leisen Bollern im Kohleofen zuzuhören und an die böhmische Zahnlücke zu denken. Am Heiligen Abend zündete er eine Kerze an und verdrückte den kompletten Inhalt des bis unter den Deckel mit Vanillekipferln, Schmalzkrapferln, Marmeladentascherln und anderen nach Heimat und Kindheit duftenden Mehlspeisen gefüllten Pakets, das ihm die Mutter geschickt hatte. Am Boden der Schachtel fand Franz eine kleine Fotografie. Das Bild zeigte die Mutter auf der verschneiten Eisfläche des Attersees. Sie trug eine ihrer selbstgestrickten Pudelhauben, einen Wolljanker, einen Winterrock und ihre alten, dick mit Kaninchenfell gefütterten Haferlschuhe. Sie blickte direkt in die Kamera und lachte. Einen Arm hatte sie ausgestreckt und schien damit irgendwo hinzuzeigen, vielleicht zur Hütte, vielleicht auch darüber hinweg zur nebelverhangenen Schafbergspitze. Mit ziemlicher Sicherheit hatte Gemeindepfarrer Sieglmeier die Aufnahme gemacht. Der Pfarrer war einer der wenigen Nußdorfer, die im Besitz eines Fotoapparates waren, und wahrscheinlich hatte ihn die Mutter mit einer scharfen Fischsuppe, frischen Strudeln oder dem Versprechen auf regelmäßige Kirchenbesuche bestochen. Eine einzelne Träne tropfte jetzt auf die Fotografie und bildete einen feuchten, runden Fleck, genau an der Stelle, wo der Arm der Mutter in den Himmel hineinragte. Franz wischte schnell mit dem Daumen darüber und drehte das Bild um. Auf der Rückseite stand mit hellblauem Buntstift geschrieben:

Mein lieber Franzl,
von Herzen wünsche ich Dir ein frohes Weihnachtsfest und
ein gesegnetes neues Jahr.
Deine Mama
PS: Bist Du noch verliebt?
PPS: Wenn Deine Hosen schmutzig sind, kannst Du sie
mir schicken.
PPPS: Hör auf, mich mit »Mutter« anzuschreiben, ich bin
Deine Mama und aus.

Franz suchte sich eine besonders beeindruckende Karte aus dem Ständer (Johann-Strauß-Statue mit Schneehaube auf dem Kopf und Sängerknaben rundherum) und schrieb mit seiner schönsten Füllfederschrift:

Liebe Mama,

jetzt ist Weihnachten praktisch schon wieder vorbei, und die Sachen aus Deinem Paket sind allesamt weg. Die letzte Zeit war ein bisschen anstrengend, aber im frischen Jahr wird sich sicher alles wieder einrenken.

Dein Franzl

PS: *Ich bin noch verliebt.*

PPS: *Meine Hosen sind nicht schmutzig.*

PPPS: Na gut.

Pünktlich zum Silvesterabend war der fiebrige Schnupfen endlich überstanden, und Franz machte sich auf den Weg in die innerstädtische Annagasse, wo er in einem »weltberühmten und hoch angesehenen Tanz-Etablissement«, so versprachen es die in verschiedenen Zeitungen geschickt platzierten Anzeigen, inmitten von hunderten Wienerinnen und Wienern den Jahreswechsel feierte, indem er eine unterm Hemd eingeschmuggelte Dopplerflasche essigsauren Weißburgunders leerte und mit einer dicken Frau Walzer tanzte. Am nächsten Tag, dem ersten des hoffnungsvollen neuen Jahres 1938, bestieg er gleich in der Früh die Straßenbahn und ließ sich durchs Schneegestöber in Richtung Prater ruckeln. Das Riesenrad ragte dunkel und bewegungslos in den Himmel, und die Fahrgeschäfte lagen wie tot unter einer dicken Schneedecke begraben. Die Gassen waren fast menschenleer, nur da und dort stapfte ein verlorener Spaziergänger zwischen den Buden herum. Am großen Sturmboot hingen glitzernde Eiszapfen, und auf der obersten Gondel hockte eine Krähe und hackte mit ihrem Schnabel in den Schnee.

Franz ging hinüber ins Schweizerhaus, wo schon die Lichter brannten und der Eingang für den ersten Frühschoppen des Jahres freigeschaufelt war. Er betrat den Gastraum und ging direkt auf den schnauzbärtigen Kellner zu, der hinter dem Tresen stand und mit müdem Lidschlag ein frisch geputztes Glas im trüben Deckenlicht betrachtete.

Ob er dem jungen Herrn irgendwie behilflich sein könne, fragte der Kellner, ohne ihn anzusehen. Franz ließ seinen Blick gelangweilt durch den Raum schweifen und schob nebenbei einen Geldschein über den Tresen. Er hätte da eine Frage, im Grunde genommen nur eine Kleinigkeit, schnell gestellt und noch schneller beantwortet.

Das müsse aber wirklich eine winzigkleine Kleinigkeit sein, meinte der Kellner, zumindest wenn man vom Wert dieses Fetzen Papiers ausgehe. Schweigend holte Franz einen weiteren Schein aus der Jackentasche und legte ihn neben den anderen. Der Kellner stellte das Glas ins Regal zurück und ließ das Geld in seiner Schürze verschwinden.

Mitkommen, sagte er.

Draußen schneite es jetzt noch stärker. Dicke, weiche Flocken sanken lautlos vom Himmel, verfingen sich in den Haaren und blieben an den Wimpern hängen. Franz und der Kellner suchten Schutz unter einer großen Kastanie.

Um welche Kleinigkeit es sich denn genau handle, wollte der Kellner wissen.

Es ginge um eine Landsfrau von ihm, sagte Franz, eine Böhmin.

Nur weil er Tschechisch spreche, meinte der Kellner, sei er noch lange kein Behm, damit das klar sei. In der Baumkrone über ihnen raschelte es leise, und eine Handvoll Schnee rieselte zu Boden.

Jedenfalls könne sich der Herr Ober sicherlich erinnern, sagte Franz, wie er und dieses böhmische Mädel vor gar nicht allzu langer Zeit hier unter dieser Kastanie ein paar Bier getrunken und getanzt hätten. Sehr schön sei sie. Ziemlich rund, mit sonnenblonden Haaren, einer zart gewölbten Oberlippe und einer wie von Gottes Hand gemeißelten Zahnlücke.

Der Kellner zuckte mit den Schultern. Das mit der Erinnerung sei so eine Sache, sagte er und betrachtete traurig die kleine Schneekappe auf seinen Schuhspitzen. Franz seufzte und zog einen weiteren Schein aus seiner Manteltasche.

Ach ja, sagte der Kellner, komisch, aber jetzt fiele es ihm wieder ein, da war doch so eine dicke Böhmin.

Rund, sagte Franz, rund, nicht dick.

Von mir aus, sagte der Kellner. Und weiter?

Die Adresse, antwortete Franz, ob der Herr Ober eine Adresse von ihr habe. Oder den Namen. Oder sonst irgendetwas. Immerhin habe er sie ja gekannt, das sei ja offensichtlich gewesen.

Als Praterkellner kenne man halt viele Leute, entgegnete der Kellner, da sei es schwer.

Franz steckte ihm seinen letzten Schein in die Schürze. Ob es jetzt vielleicht ein bisschen leichter sei?

Der Kellner lächelte. Warum es eigentlich ausgerechnet so eine ausgefressene Landpomeranze sein müsse, wollte er wissen, schließlich gäbe es im Prater noch ganz andere Möglichkeiten, da könne man sicher etwas arrangieren.

Rund, sagte Franz mit starrem Blick, rund, nicht ausgefressen.

Ob rund oder ausgefressen sei ja nur Definitionssache, meinte der Kellner, aber so oder so: Billig bleibe halt billig.

Da platzte etwas in Franz. Mit einem unterdrückten Schrei warf er sich auf den Kellner und begann auf ihn einzuschlagen. Der Schnauzbart duckte sich weg, tänzelte zwei Schritte zur Seite, einen zurück, wieder einen nach vorne und fuhr eine blitzschnelle Gerade aus. Der Schlag traf Franz genau am Nasenansatz, ein hohler Ton erklang, und ein Schatten senkte sich auf ihn und bedeckte alles mit einer stillen Dunkelheit.

Zwei Sekunden später war Franz wieder bei Bewusstsein. Er lag auf dem Rücken und blickte direkt in das schnauzbärtige Kellnergesicht über sich.

Ein bisserl sei er ja aus dem Training, sagte der Kellner gutmütig, aber für so einen dahergelaufenen Bauernschädel würde es gerade noch reichen. Ob er ihm aufhelfen solle?

Danke nein, antworte Franz und blieb liegen.

Der Kellner sagte, man müsse ja nicht immer gleich rabiat werden, wenn es um die Weiber geht.

Nein, das müsse man wahrscheinlich nicht, sagte Franz.

Der Kellner blickte ihn väterlich streng an. So ein Blödsinn aber auch!

Franz nickte. Ob er jetzt vielleicht doch die Adresse oder den Namen haben könne?

Stur wie ein steirischer Ochs, meinte der Kellner kopfschüttelnd.

Wie ein oberösterreichischer, sagte Franz, während sich in seinem Mund der süße Geschmack von Blut ausbreitete.

Von mir aus, sagte der Kellner. Auf seinem dicht behaarten Kopf hatte sich mittlerweile eine kleine Schneehaube gebildet, die seinem Aussehen etwas Großväterliches gab. Aus dem Gastraum drang das Stimmengewirr seiner Kollegen. Gelächter. Jemand stimmte ein Lied an. Dann war es wieder ruhig. Der Kellner seufzte.

Gar nicht weit von hier im zweiten Bezirk, sagte er, das gelbe Haus in der Rotensterngasse. Immer den Ratten folgen, links ein Schutthaufen, rechts ein Schutthaufen. Dort könne der junge Herr einmal nachschauen, wenn es denn unbedingt sein müsse.

Dankeschön, sagte Franz.

Gern geschehen, sagte der Kellner. Er hüpfte ein paar Mal auf und ab, klopfte sich den Schnee von den Schultern und fuhr sich mit den Fingern durch den Schnauzbart.

Das mistige Wetter habe hoffentlich bald ein Ende, so könne das ja nicht weitergehen.

Franz nickte.

Jetzt müsse er aber wirklich wieder hinein, meinte der Kellner, den ganzen Sonntag unter einer zugeschneiten Kastanie herumstehen, könne nämlich auch nicht Sinn der Sache sein.

Genau, sagte Franz, auf Wiedersehen.

Auf Wiedersehen.

Nachdem der Kellner im Gastraum verschwunden war, blieb Franz noch eine Weile liegen und blickte ins Schneetreiben hinauf. Schon nach kurzer Zeit schien es ihm, als ob nicht die Flocken auf ihn zugeflogen kämen, sondern als ob er selbst es sei, der vom Boden abhöbe und mit zunehmender Geschwindigkeit davonraste, immer höher und höher dem weiten, stillen Himmel entgegen.

Das gelbe Haus in der Rotensterngasse war eine abrissreife Ruine. Wie der Kellner gesagt hatte, häufte sich links und rechts vom Eingang meterhoch der Schutt. Überall bröckelte der Putz, die Fenster waren entweder grau vom Staub oder mit Brettern vernagelt. Von der Dachrinne hingen bräunliche Eiszapfen, und über einem der Kellerfenster waren mit grüner Farbe die Worte SCHUSCHNIGG, DU JUDENHUND! hingeschmiert. Die Haustür stand weit offen, trotzdem war es im Flur düster und es stank nach feuchten Mauern und Urin. Und noch etwas anderes lag in der Luft: ein süßlich-scharfer Geruch, der Franz wie eine ferne Erinnerung an Zuhause anwehte. Es roch nach Schweinestall. Franz musste ein bisschen in sich hineinlächeln. Vorsichtig ging er die Stiege hinauf, unter seinen Füßen knirschten die Kalkbröckchen und mit jeder Stufe wurde der Gestank intensiver. Zuhause hätte das niemanden gestört, dachte er, ihn selbst schon gar nicht. Im Grunde genommen stanken die Schweine weniger als zum Beispiel die Waldarbeiter nach der Schicht oder die Volksschulkinder nach dem Turnunterricht. Und er selbst war früher sogar hin und wieder in die Ställe der benachbarten Bauern gekrochen, hatte die Ferkel umarmt wie kleine, rosige Brüder und sich mit ihnen ins Stroh hineingekuschelt. Doch hier, zwischen den grauen Stadtmauern war der Geruch ungehörig und widerlich. Im Mezzanin war eine der Türen aus ihrem Rahmen gebrochen, und in dem Zimmer dahinter erkannte er das Schwein. Es war ein riesiges Tier, schwer und bewegungslos lag es auf dem strohbedeckten Kachelboden und schnaufte leise vor sich hin. Auf einer Obstkiste daneben saß eine alte Frau. Sie hatte einen Topf auf ihrem Schoß, in dem sie langsam und gleichmäßig einen Teig verrührte.

»Entschuldigung, wohnt hier vielleicht eine junge Frau, eine Böhmin?«, fragte Franz. Die Alte starrte ihn kurz an. Dann wies sie mit ihrem Löffel stumm in Richtung Decke. Ein zäher Teigbatzen löste sich und tropfte ihr in den Schoß. Die Sau wälzte ihren Körper auf die andere Seite, hob den Kopf und blickte aus stumpfen Augen gegen die Wand.

Im zweiten Stock schienen die meisten Wohnungen leer zu stehen, fast überall standen die Türen offen oder fehlten komplett. Nur die Tür der letzten Wohnung, ganz am Ende des Ganges, war unversehrt. Dahinter war undeutliches Stimmengewirr zu hören. Franz klopfte zweimal, und sofort wurde es drinnen still. Ein kurzes Tuscheln war zu hören, dann ein helles »Herein!«

Franz wischte sich die letzten Schneereste vom Kragen, atmete tief ein und öffnete die Tür. Soweit er auf den ersten Blick erkennen konnte, befanden sich etwa dreißig Frauen im Raum. Sie saßen an kleinen Tischen, auf Stühlen, Kisten, Kübeln. Drei hockten nebeneinander auf dem Fensterbrett wie Vögel auf einem Ast. Manche lagerten auf alten Matratzen entlang der Wände. Zwei junge Mädchen saßen im Schneidersitz vor einem niedrigen Holzkohleofen und spielten Karten; eine Frau stand vor einer Spiegelscherbe an der Wand und schminkte sich mit einem Kohlestift die Augen; eine andere hockte auf einem umgedrehten Wäschekorb und hielt ein winziges Kind an ihre Brust gedrückt.

»Entschuldigung«, sagte Franz zaghaft, »wohnt hier vielleicht eine junge Frau, eine Böhmin?« Eines der Mädchen kicherte, ein anderes mit wasserblauen Augen hielt sich die Hand vor den Mund und unterdrückte ein Lachen. Die anderen saßen einfach nur da und starrten ihn an.

»Ah, der Burschi mit dem scheenen Popscherl!«

Er erkannte ihre Stimme sofort. Sie saß mit angezogenen Knien und in eine dünne Wolldecke gewickelt auf einer Matratze. Ihr Haar war unter einem Kopftuch verschwunden und ihr Gesicht lag fast zur Gänze im Schatten der Decke. Doch Franz wusste auch so, dass sie lächelte. Und auch er lächelte jetzt. Und hätte ihn dieses böhmische Mädchen unter ihrer Wolldecke nicht mit den Worten: »Darfst mir bezahlen ein Essen und ein Glaserl Wein, Burschi!« aus seiner glücklichen Erstarrung erlöst, so wäre er wahrscheinlich noch für den Rest des Nachmittags oder darüber mit einem Lächeln in der Tür gestanden, das vielleicht die ganze Welt, mindestens aber diese dreißig Frauen in ihrer feuchten Bruchbude zu umarmen schien.

Sie hieß Anezka und war drei Jahre älter als er. Sie stammte aus einem »an den Hügel Viničný wie an einen dunklen Liebhaber geschmiegten, wunderscheenen Dorf« namens Dobrovice im Landkreis Mladá Boleslav und arbeitete wahlweise als Kindermädchen, Köchin oder Haushaltshilfe, und zwar ohne behördliche Genehmigung, wie übrigens auch die anderen Frauen aus dem gelben Haus: »Alles Behminnen. Scheene, brave Frauen, alle miteinander!«

Sie knirschten nebeneinander durch die schneebedeckten Straßen, und Franz erzählte von daheim, wo der See die Farbe mit den Jahreszeiten wechselte: im Frühjahr war er dunkelgrün, im Sommer silbrig, im Herbst tiefblau und im Winter schwarz wie das Herz des Teufels. Und er erzählte von den Kühen, deren Fladen so groß waren, dass man als Kind bis zu den Knien darin einsinken konnte, und von den Fischen, die er als kleiner Bub aus dem Wasser gezogen hatte und die so fett waren, dass nur ein einziger von ihnen ausreichte, um eine komplette Holzfällerbrigade satt zu kriegen. Er beschrieb ihr die Ausflugsdampfer, die im Sommer tagtäglich mit ihrem bunten Touristendurcheinander auf dem Deck durchs Wasser stampften und mit denen die Kinder nach der Abfahrt um die Wette kraulten, und er schilderte ihr die im gesamten Salzkammergut berühmten Erdäpfelstrudel seiner Mutter, deren Teig sie in den Wintermonaten auf dem Tisch walkte, um ihn dann in der großen Eisenpfanne in Gänseschmalz zu backen und zu einem goldgelben, dampfenden, duftenden Berg aufzuhäufen. Von diesen und noch von ganz anderen Dingen erzählte

Franz. Die Worte sprudelten nur so aus ihm heraus und breiteten ein derartig wunderbares Panorama vor ihnen aus, dass sich ihr Spaziergang durch die fast menschenleeren Straßen hinzog, bis die Nacht hereinbrach und die Gaswerker ihre Leitern bestiegen, die Schneehauben von den Laternen kehrten und überall die Lichter durch das Schneegestöber zu schimmern begannen.

An einem kleinen Wirtshaus blieb Anezka stehen. »Jetzt essen!«, sagte sie und ging hinein. Franz bestellte zwei Portionen Gulasch und eine Flasche vom ausländischen Wein, der so gut war, dass sogar der Kellner seinen Namen nicht aussprechen konnte. Das Gulasch war würzig und heiß, die Gurken knackten, und die Semmeln knisterten. Noch nie hatte Franz einen Menschen mit solcher Hingabe essen gesehen. Und noch nie hatte er einem Menschen so gerne beim Essen zugesehen. Er bestellte eine zweite Portion und dann eine dritte. Danach gab es Palatschinken mit Schokoladenfüllung und einer dicken Schicht Staubzucker sowie eine zweite Flasche Wein. Als schließlich das letzte Palatschinkenfleckchen mit dem letzten Schluck Wein hinuntergespült war, lehnte sich Anezka mit einem langgedehnten Seufzer zurück, verschränkte die Hände vor ihrem Bauch und sah Franz mit trägem Blick an.

»Und jetzt will ich dich, Burschi!«, sagte sie.

Der Verkaufsraum lag still im bläulichen Schneelicht, das durch die wenigen freien Stellen in den überklebten Auslagenscheiben hereinfiel. Nachdem Franz die Tür hinter ihnen zugezogen hatte, hielt Anezka ihre Nase schnuppernd in den Raum und sog tief den Geruch von Tabak und Papier ein. Mit einer höflichen, gleichzeitig aber auch weltmännisch-gelassenen Geste wollte Franz ihr den Weg in sein Kämmerchen weisen, doch da spürte er ihre Hand an seinem Hintern, genau an der Stelle, wo sie schon einmal gelegen hatte, damals, vor unendlich langer Zeit beim Tanz im Schweizerhaus. Sofort begann sein Herz wie verrückt zu klopfen, und eine brennende Hitze stieg in ihm hoch. Irgendetwas wollte er fragen, etwas ungeheuer Dringliches, etwas unerhört Wichtiges, etwas, das ihm auf der Zunge prickelte, aber da lag auch schon ihre andere Hand an seiner Hinterbacke und ihre Hüfte drängelte sich gegen seine, und in seinem Kopf verdampften die Worte wie Tropfen auf dem heißen Herd. Sie sah ihm in die Augen und näherte ganz langsam ihr Gesicht, und als er ihren Atem an seinem Mund spürte und das zarte Zittern ihrer Oberlippenwölbung sah, durchlief ihn ein derart heftiger Wonneschauer, dass er mit ziemlicher Sicherheit rückwärts ins Zigarrenregal gekippt wäre, wenn ihn Anezka nicht im letzten Augenblick gehalten und fest an ihren Körper gedrückt hätte. Er schloss die Augen und hörte sich selbst einen gurgelnden Laut ausstoßen. Und während die Hose an seinen Beinen herunterrutschte und damit alle Last seines bisherigen Lebens von ihm abzufallen schien und er den Kopf in den Nacken legte und in die Dunkelheit unter der Decke hinaufblickte, hatte er für einen seligen Moment das Gefühl, die Dinge der Welt in ihrer unermesslichen Schönheit begreifen zu können. Schon komisch, dachte er, das Leben und diese ganzen Sachen. Dann spürte er, wie Anezka vor ihm auf den Boden glitt, wie ihre Hände seinen nackten Hintern packten und ihn mit sich zogen. »Komm, Burschi!«, hörte er sie flüstern und mit einem Lächeln ließ er los.

Und hätte sich ein paar Stunden später in dieser eisigen Nacht irgendjemand aus irgendwelchen Gründen noch draußen im Freien aufgehalten, so hätte er vielleicht gesehen, wie die Tür der alten Trsnjek-Trafik aufgerissen wurde und zwei nackte Gestalten, ein dünner junger Mann und eine rundliche junge Frau, ins Freie purzelten, sich eine Weile kreischend mit Schnee bewarfen, dann ein kurzes Stück die Währingerstraße hinunterstürmten und sich schließlich ungefähr auf der Höhe des Pelzmodengeschäftes der alten Frau Sternitzka mit weit ausgebreiteten Armen und Beinen nach hinten in einen großen Schneehaufen fallen ließen. Aber natürlich befand sich um diese Uhrzeit und bei diesem Sauwetter niemand mehr auf der Straße. Niemand konnte beobachten, wie Franz und Anezka keuchend nebeneinander lagen und in den Himmel hinaufschauten. Und niemand konnte das kurze Gespräch belauschen, welches Franz mit einer Frage eröffnete, die seit einigen Minuten in seinem langsam wieder auskühlenden Kopf herumschwirrte: »Warum bist du damals weggelaufen im Schweizerhaus?«

Anezka streckte ihren Arm in die Höhe und zeichnete mit den Fingern die Konturen der umliegenden Dächer nach. Mittlerweile hatte es fast vollständig aufgehört zu schneien, dunkle Wolkenfetzen zogen über den Himmel, und hinter einem Schornstein schimmerte schwach das Mondlicht hervor.

»Manchmal muss weglaufen, manchmal muss bleiben«, sagte sie. »So ist Leben.«

»Das kann ja sein …«, setzte Franz zu einer schwächlichen Entgegnung an, doch schon währenddessen hatte ihre Hand in der Luft eine elegante Drehung vollführt und war gleich darauf blitzschnell und zielgenau herabgestoßen, um seinen Schwanz zu packen. »Nicht so viel reden«, sagte sie, »lieber noch einmal vögeln.« Sie sagte natürlich nicht »vögeln«, sondern »veegeln«, mit einem sehr lang gezogenen, böhmischen »e«. Aber Franz verstand sie trotzdem ganz genau.

Franz' sexuelle Erlösung bedeutete nicht gleichzeitig eine Besserung seines Gesamtzustandes. Das Feuer, das jetzt zwischen seinen Schenkeln entzündet war, brannte lichterloh und würde nie mehr zu löschen sein, so viel war ihm klar. Dabei – und auch das war ihm auf schmerzhafte Weise bewusst geworden – gab es noch so viel zu lernen. Zu kurz war diese eine Nacht gewesen, selbst ein komplettes Leben schien nicht auszureichen, um das Mysterium Frau in seiner ganzen schrecklichen Schönheit begreifen zu können. An den Klippen zum Weiblichen zerschellen selbst die Besten von uns, hatte der Professor gesagt. Das wird schon so sein, dachte Franz, aber dann ist es halt so. Mochte er eben zerschellen – solange es nur an Anezkas steiler Küste geschah. Es gab jetzt kein Zurück mehr. Er wollte weitermachen, weiterüben, weiterlernen. Unter allen Umständen wollte er wieder bei ihr liegen, ihren wunderbaren Duft in der Nase und ihre Hände auf seinem lernwilligen Hintern.

Und deshalb machte er sich schon am nächsten Abend auf den Weg zum gelben Haus in der Rotensterngasse, ging durch den stinkenden Flur, über die bröckeligen Stiegen, vorbei an der alten Frau mit dem leise schnaufenden Schwein und hinauf in die auch diesmal mit Böhminnen überfüllte Wohnung. Doch Anezka war nicht da. Am Tag darauf auch nicht. Und auch nicht am nächsten Wochenende. Oder am übernächsten. Anezka nicht da, Anezka fort, Anezka weg, Anezka irgendwo, Anezka arbeiten, sagten die Frauen, die sich gerade in der Wohnung aufhielten und übrigens nie die gleichen zu sein schienen. Wo oder für wen sie arbeitete, konnten sie nicht sagen, wussten sie nicht, wollten sie nicht wissen, und Franz zog wieder ab, mit seinem ölig glänzenden Scheitel und der teuer in einem innerstädtischen Bonbonfachgeschäft erstandenen Schachtel Schokoladenpralinen unterm Arm. Tagsüber saß er kreidebleich auf seinem Hocker und gab vor, Zeitung zu lesen. Nachts wälzte er sich im Bett und vergrub sein Gesicht in das Kissen, auf dem sich noch vor Kurzem ihre Haare wie sonnige Strahlen ausgebreitet hatten. Die Schlafphasen waren kurz und von wirren Träumen durchrast. Manchmal befolgte er den Ratschlag des Professors und versuchte, sein wild gewordenes Seelenleben zu bändigen, indem er seine Träume gleich nach dem Aufwachen aufschrieb. Es nutzte nichts. Es half nichts. Es nutzte und half alles nichts. Es war, als hätte Anezka ihm das Herz aus der Brust gerissen und trüge es nun mit sich herum. Das, was da immer noch schlug in seiner Brust, war nur mehr die Erinnerung an etwas, das doch längst bei ihr war: in ihrer offenen Hand,

in ihrer Schürzentasche, zwischen die Streben ihres Bett-
gestells gequetscht, pochend und heiß vor ihr auf dem
Küchentisch.

Und dann geschah es doch. Ein paar qualvolle Wochen
nach dem ersten Beben in der Trafik wurde Franz mitten
in der Nacht von einem leisen Klopfen aus dem Halb-
schlaf gerissen. Draußen stand Anezka im kurzen Mantel
und fror. Sie sagte nichts. Wortlos ging sie an ihm vorbei
und legte sich ins Bett. Das Ausziehen überließ sie ihm.
Seine Hände zitterten so stark, dass er eine Ewigkeit
brauchte. Nur langsam entblößte sich ihr Körper, bis sie
schließlich vor ihm lag, nackt und weich und rund im
milchigen Schein des Mondlichts. Nachdem es geschehen war und er wie ein Häuflein Glück auf dem Rücken
neben ihr lag, stellte er sich vor, wie er am nächsten Morgen, gleich nach dem Aufstehen, um ihre Hand anhalten
würde. Aber als er aufwachte, war sie weg.

Franz beschloss, nun dem zweiten Lösungsvorschlag des
Professors nachzugehen und Anezka zu vergessen. Er bemühte sich sehr, doch als nach über drei Wochen immer
noch die Abdrücke ihrer kleinen Hände auf seinem Hintern glühten und zwischen jeder zweiten Zeitungszeile
geisterhaft ihr Name aufleuchtete und sich schließlich
beim Aufwischen der vom Dackel des Kommerzialrates
Ruskovetz verlorenen Tropfen aus der Dielenmaserung
ganz deutlich zuerst die Konturen ihrer Oberlippenwölbung, dann die ihres Gesichts und zuletzt die ihres Körpers herauslösten, gab er die Sache mit dem Vergessen

wieder auf, schmiss stattdessen den Reibefetzen in eine
Ecke und stellte sich breitbeinig und mit entschlossen in
die Seiten gestemmten Armen vor Otto Trsnjek hin. Es
tue ihm leid, sagte er mit kräftig erhobener Stimme, aber
es sei einfach nicht mehr auszuhalten. Jetzt gleich, sofort
und auf der Stelle müsse er zu einem Doktor, und zwar
betreffs seines vom stundenlangen Sitzen auf dem Hocker
morsch gewordenen und insgesamt ziemlich schmerzhaft
verzogenen Rückgrats. Der Trafikant schraubte seine
Füllfeder zu, steckte sie sorgfältig in sein über die Jahre
ein bisschen speckig gewordenes Lederetui, beugte sich
über das soeben mit einer Reihe dringend benötigten
Bestellungen vollgeschriebene Blatt Papier, blies sachte
die Tintenschrift trocken, blickte dann über den Brillenrand hinweg auf seinen immer noch unverändert breitbeinig vor ihm platzierten Lehrling und entließ ihn für
den Rest des Tages mit den von einem schweren Seufzer
angeschobenen Worten: »Na dann schleichst dich jetzt
halt meinetwegen!«

Franz ging natürlich nicht zum Arzt, sondern direkt zum
gelben Haus in der Rotensterngasse, wo er sich hinter
einem der beiden Schutthaufen auf einen niedrigen Stapel bröckliger Ziegel setzte und wartete. Den ganzen
Nachmittag über passierte nichts. Zwar gingen ständig
Frauen ein und aus, Anezka aber war nicht darunter. Die
Stunden vergingen, kurz wanderten ein paar Sonnenstrahlen über den Schutt, es tröpfelte ein bisschen, danach
wurde es kühl, und die Abenddunkelheit brach herein.
Franz spürte, wie die Feuchtigkeit aus den Ziegeln lang-

sam durch seine Hose hinaufsickerte, und schimpfte still in sich hinein. Wie hatte er nur auf die hirnrissige Idee kommen können, irgendeinem steinalten, fast gewichtslosen und obendrein nach Sägespänen riechenden Professor zuzuhören und sich auf so eine Blödsinnigkeit wie die Liebe einzulassen? Als etwas später der Gasmann kam und die drei letzten noch funktionierenden Laternen in der Straße anzündete, gab er schließlich auf. Mit einem schmatzenden Geräusch hob er seinen feuchten Hintern vom Ziegelstapel, um den Rückzug zur Trafik anzutreten. In genau diesem Moment kam sie aus dem Haus. Sie hielt den Kopf leicht gesenkt, hatte den Mantelkragen hochgeschlagen und ging mit kleinen, schnellen Schritten in entgegengesetzter Richtung die Straße hinunter. Franz kam hinter dem Schutthaufen hervor und folgte ihr in gehörigem Abstand. Genau wie in dem amerikanischen Kriminalfilm mit den zahlreichen gnadenlos-grimmig respektive sehnsuchtsvoll-träumerisch vor sich hinschauenden Männern, den er vor Jahren gemeinsam mit der Mutter während einer gutbesuchten Lichtspielvorführung in St. Georgen gesehen hatte, versuchte er die städtischen Unübersichtlichkeiten für seine Deckung zu nützen: Er drückte sich in Hauseingänge, sprang hinter eine Litfaßsäule, wechselte die Straßenseite, lief ein Stückchen neben einem mit dampfendem Teer beladenen Dieselwagen einher und versteckte sich hinter dem breiten Rücken eines Kanalräumers, der in seinen schweren Schaftstiefeln müde heimwärts stapfte. Anezka überquerte die Weintraubengasse, gelangte auf die Praterstraße und bewegte sich sicher und schnell durch den

dichten Verkehr auf das Riesenrad zu. Hinter dem Großen Autodrom bog sie plötzlich rechts ab und verschwand
in einem dunklen Seitengässchen. Franz wartete einige
Sekunden und bog dann ebenfalls ein. Der Weg war
schmal und auf beiden Seiten von einem Zaun begrenzt,
dessen Bretter ungewöhnlich hoch ragten und oben nur
einen Streifen des sternenlosen Nachthimmels freigaben.
Nach etwa zwanzig Schritten öffnete sich der Durchgang
zu einem von schmutzigen Mauern umgebenen Hinterhof. In einer Ecke standen ein paar Mülltonnen zusammengerottet wie schlafende Kühe. An einem nackten
Draht baumelte eine Glühbirne und verstreute ihr schmut-
ziggelbes Licht. Aus den Augenwinkeln bemerkte Franz
eine Bewegung im Halbdunkel einer Mauernische, lautlos
und weich, wie ein träges Winken. Es war die Falte eines
Vorhanges, der sich im Luftzug bewegte. Darüber klebte
ein Plakat: ZUR GROTTE stand darauf in mattgoldenen
Lettern. Darunter, kaum noch zu erkennen: TRETEN SIE
NÄHER! TRETEN SIE EIN! GEHEIMNIS, LUST UND FREUDE –
ALLEINE ODER ZU ZWEI'N! (EINTRITT EINEN SCHILLING)

Franz schob den Vorhang zur Seite und ging hinein.
Der Raum war winzig und komplett in dunkelgrünes
Licht getaucht. Er musste an den See denken. An die
Tauchgänge, die er als Bub so oft unternommen hatte.
Unzählige Male war er an heißen Sommertagen nackt auf
einem der nach Holz und Sonne duftenden Fischerstege
gelegen und hatte so lange dem Rauschen des Schilfs und
dem freundlichen Plätschern unter ihm zugehört, bis es
nicht mehr auszuhalten war und er sich kopfüber oder
mit angezogenen Beinen ins Wasser schmeißen musste.

Im Gewirbel seiner eigenen Luftblasen ließ er sich langsam sinken, und um ihn herum wurde es immer stiller und dunkler. Die Stegpfähle waren dicht von Algen und Muscheln besiedelt, dahinter ragten die Schilfrohre in die Höhe. Hin und wieder schaute aus dem Dickicht ein Fisch heraus, eine Schleie meistens oder ein Saibling. Manchmal ließ sich sogar ein Perlfisch blicken, stand für ein paar Sekunden reglos im Wasser, bevor er mit einem einzigen Flossenschlag wieder in der Dunkelheit verschwand. Der kleine Franz saß ruhig am Grund und hörte dem See zu: Er hörte das Rauschen der tiefen Wasserbewegungen, das Gluckern der Oberflächenwellen, hie und da ein Knistern im Schilf und manchmal, aus weiter Entfernung, das dunkle Stampfen der Fährschiffe. Er spürte die weiche Algenwiese unterm Hintern und sah, wie über ihm die winzigen Schwebeteilchen in den Sonnenstrahlen flirrten. Noch Stunden später, wenn er über den Uferweg nach Hause rannte und ihm die Abendsonne ins Gesicht schien, trug er diese stille, grüne Welt als kleine Sehnsucht mit sich.

»Wennst Wurzeln schlagen willst, machst das besser draußen!«

Es war eine alte Stimme, brüchig und hell. Direkt vor Franz, ungefähr in Brusthöhe, erschien der dazugehörige Kopf. Er war völlig kahl, und auch die Augenbrauen fehlten, was ihm unter der grünen Beleuchtung etwas Eidechsenhaftes verlieh.

»Einen Schilling, wennst dir das Programm anschauen willst. Wenn nicht: Der Ausgang ist da, wo grad noch der Eingang war!«

Erst jetzt erkannte Franz den Kassenverschlag: eine kleine, rechteckige Öffnung in der Wand. Im Halbdunkel dahinter saß die Echse und starrte zu ihm heraus.

»Einmal Programm, bitte!«, sagte Franz und legte einen Schilling auf das Kassenbrettchen. Die Echse nahm das Geld und hielt ihm eine Eintrittskarte entgegen: »Freie Platzwahl, keine Pause, viel Vergnügen!«

Eine unauffällige Tapetentür öffnete sich, und Franz ging hindurch. Der Raum dahinter war viel größer, als er erwartet hatte, und vollkommen rot. Die Decke, die Lampenschirme, der abgetretene Teppich, die Tapeten, alles war in ein weiches Dunkelrot getaucht, das im Schattenspiel von unzähligen Kerzen flackerte. Hinter einem verspiegelten Tresen hantierte ein Mädchen mit Flaschen und Gläsern. Sie war höchstens sechzehn Jahre alt, hatte eine fingerlange Narbe an der rechten Wange und die platte Nase eines Boxers. Etwa zwanzig runde Tischchen standen im Raum verteilt, nur wenige davon waren besetzt – soweit Franz erkennen konnte, ausschließlich von einzelnen Männern. Das Kerzenlicht beflackerte einen behaarten Nacken, eine faltige Stirn, eine Arbeiterhand, an deren Rücken trockener Lehm klebte, den abgewetzten Kragen am Sakko eines alten Mannes.

Franz setzte sich an einen freien Tisch, das Mädchen kam und er bestellte ein Krügel Helles. Sie brachte das Bier, stellte wortlos auch noch eine Schale mit Nüssen vor ihn hin und verschwand wieder hinter dem Tresen. Einige Minuten verstrichen, dann ging plötzlich ein Scheinwerfer an und beleuchtete eine winzige Bretterbühne am anderen Ende des Raumes. Eine Tür öffnete sich und ein kleiner Mann im Smoking trat ins Licht. Er war dürr und runzlig, aber trotz seines Alters voller sprühender Energie. Er verbeugte sich mit einem Lächeln, kippte gleich darauf einfach nach vorne, vollführte einen halsbrecherischen Purzelbaum, stand im nächsten Moment wieder kerzengerade da und begann zu reden. Von den Zuständen in der lieben Wienerstadt sprach er, von diesem riesengroßen Kindergarten, in dem sich der Schuschnigg-Bub und seine Spielkameraden so gerne austoben würden, aber schon längst nicht mehr dürften; von den kleinen Nazis, die sich im Sandkasten so gerne mit den kleinen Sozis prügelten, und von den kleinen Katholiken, die still daneben stünden, in ihre Windeln schissen und nachher den großdeutschen Kindergartentanten alles beichteten. Er sprach schnell, in einem rasenden Stakkato und scheinbar ohne Luft zu holen, verlor dabei aber nie sein Lächeln. Mit einem Mal ging ein Ruck durch seinen Körper, und er fiel auf die Knie. Mit theatralischer Langsamkeit legte er seine Handflächen aneinander, blickte ins Scheinwerferlicht hinauf und begann zu beten:

»Lieber Gott, mach mich stumm,
dass ich nicht nach Dachau kumm.
Lieber Gott, mach mich taub,
dass ich an unsre Zukunft glaub.
Lieber Gott, mach mich blind,
dass ich alles herrlich find:
Bin ich erst taub und stumm und blind,
bin ich Adolfs liebstes Kind ...«

Die Männer lachten, einige klatschten, jemand winkte nach der Kellnerin, jemand rief ihr ein paar gut gemeinte Frechheiten hinterher. Auch Franz lachte. Obwohl er sich insgeheim nicht sicher war, wirklich alles genau verstanden zu haben. Aber es war eben auch so komisch, wie dieser kleine Mann dort vorne auf den Brettern kniete und voller Demut zur Decke schaute. Genau wie die alten Krähenweiber mit ihren schwarzen Kopftüchern und Rosenkränzen und Gebetsbüchern vor dem Nußdorfer Kapellenaltar, dachte Franz und steckte sich drei Nüsse in den Mund. Auf der Bühne ging es schon wieder weiter.

Der Mann katapultierte sich in den Stand zurück, wandte sich ab und werkelte mit schnellen Bewegungen in seinem Gesicht herum. Als er sich wieder umdrehte, ging ein Raunen durchs Publikum. Im staubflirrenden Scheinwerferkegel stand Adolf Hitler. Ein paar Striche durch die Haare, ein bisschen Kohle an den Augen und ein angeklebtes Rechteck an der Oberlippe hatten genügt, einen Mann im Smoking in den deutschen Reichskanzler zu verwandeln. Hitlers Augen glänzten wie die dunklen Muscheln, die Franz so oft von den Schilfrohren gepflückt hatte, um sie dann aufzuknacken und an die Katzen zu verfüttern oder den Mädchen in ihre Haare zu schmieren. Mit einem Knall schlug er die Hacken zusammen, riss seinen Arm zum Gruß empor und reckte das Kinn nach vorne. Franz musste an den Professor denken, dessen Kinn dem Rest seines Körpers immer ein wenig voraus zu sein schien. Komisch, dachte er, aber vielleicht hatte er da gerade eine kleine Gemeinsamkeit zwischen diesen beiden sonst eigentlich recht unterschiedlichen Männern entdeckt. Hitler erbat sich mit einer gebieterischen Geste Ruhe im Publikum und begann eine Rede zu halten. Es ging um die Dummheit des Orients und den mutig dagegengehaltenen Widerstandswillen der arischen Rasse, um die Rettung Österreichs vor der Bosheit des Balkans, um die Rettung Europas vor der Gefräßigkeit des Bolschewismus, um die Rettung der Welt vor der nimmersatten Gier des internationalen Judentums und so weiter. Das alles hatte Schwung und klang außerdem auch noch irgendwie vernünftig. Doch mit der Zeit fing er an, sich immer mehr in Rage zu reden, und bald verwandelte sich der anfangs noch verständliche Redeschwall in ein unartikuliertes und abgehacktes Gebrüll. Der Reichskanzler keifte und geiferte, dass die Spucketröpfchen nur so flogen. Er zog seinen Kopf zwischen die Schultern, mahlte mit dem Kiefer und fletschte die Zähne. Gleichzeitig krümmte er sich zusammen, beugte seinen Oberkörper und ging in die Knie. Dabei buckelte er und ballte seine Hände zu verkrampften Fäusten. Ein glitzernder Speichelfaden hing von seiner Unterlippe und tropfte auf die Bühnenbretter. Er ließ sich nach vorne fallen, stemmte Knie und Fäuste auf den Boden und starrte mit einem leisen Knurren ins Publikum. Sein Hinterteil senkte sich, mit einem kehligen Geräusch holte er Luft und spannte seine Muskeln zum Sprung an. Plötzlich stand das Narbenmädchen da. »Platz!«, sagte sie mit ruhiger Stimme, und er gehorchte. Mit einem Winseln legte er seinen Kopf zwischen die Vorderbeine und blickte zu ihr auf. Sie hob die Hand, und für einen Moment hatte es den Anschein, als wolle sie ihn schlagen, mit offener Hand mitten hinein in das dumme Hundegesicht. Doch dann lächelte sie. »Braver Adi, lieber Hund!«, sagte sie und kraulte ihn liebevoll hinterm Ohr. Sie zog eine Leine aus ihrer Schürzentasche, legte sie um seinen Hals und ging, das Tier bei Fuß und unter dem Beifall der Leute, in Richtung Ausgang. Kurz vor der Tür sprang Adi auf, riss sich das Bärtchen von der Lippe und gab der Kellnerin einen schmatzenden Kuss auf die Wange. Die beiden verbeugten sich, und der Conférencier kündigte die nächste Nummer an:

»Meine Damen und Herren, oder vielmehr: meine damenlosen Herren, ich bin überglücklich, Ihnen eine Weltsensation von allererstem Rang präsentieren zu dürfen! Hinter den hitzeflimmernden Wüsten der Neuen Welt, inmitten der endlosen Weiten der Prärie, an einem Ort, wo der Kojote heult, der Adler seine majestätischen Kreise zieht und allabendlich der Staub gewaltiger Bisonherden das Rot der untergehenden Sonne verdunkelt, an einem Ort, so abgeschieden, wie es nur Hölle oder Paradies sein können, wo die Lachse dem Bären direkt ins gierige Maul springen und unter dem heißen Stein die tückische Schlange klappert, an einem solchen Ort haben wir sie gefunden: nackt und schutzlos im hohen Gras, den mächtigen Naturgewalten ausgeliefert, ein einsames Menschenkind, das zitternde Herz geborgen im erwachenden Körper einer jungen Frau, die letzte Überlebende einer untergegangenen Welt jenseits unserer Zivilisation, einer Welt, in der die Menschheit noch in der ewigen Freiheit der Natur lebte, ganz dem Augenblick hingegeben, ohne

Tabus, ohne Schuld und ohne Scham. Meine verehrten Herren, bitte begrüßen Sie mit mir, heute Abend, hier und jetzt: N'Tschina, die scheue Schönheit aus dem Indianerland ...!«

Die Männer ruckelten ihre Hintern auf den Stühlen zurecht, tranken einen letzten Schluck und leckten sich den Bierschaum von den Lippen. Unterdessen hatte das Narbenmädchen auf einem Rolltisch ein riesiges Grammofon zur Bühne geschoben. Der Conférencier legte eine Schallplatte auf und ließ mit einer zärtlichen Bewegung den Tonarm darauf nieder. Aus der Tiefe des Trichters drang ein geheimnisvolles Rauschen, dann setzte die Musik ein. Franz hielt den Atem an. Ein einzelnes Nüsslein rutschte ihm aus dem Mund und fiel in seine Schale zurück. Noch nie hatte er etwas Ähnliches gehört. Das Grammofon schien die Töne nur unter Schmerzen herauszupressen, der Rhythmus war langsam und stampfend, die Melodie schwermütig, und nur gelegentlich brach ein einzelner, heller Ton daraus hervor. Dann kam der Gesang. Es war unmöglich zu erkennen, ob die Stimme einem Mann oder einer Frau gehörte. Sie war tief, rau und brüchig. Ein Raunen, Klagen und Schluchzen, das von einer fernen Welt zu erzählen schien und sich nur durch irgendeinen komischen Zufall in diese verrauchte Pratergrotte verirrt hatte. Für einen Moment hatte Franz das Gefühl, tief in seinem Inneren öffne sich ein unendlich weiter Raum, gefüllt mit nichts als Traurigkeit. Komisch, dachte er und schloss die Augen, aber aus irgendeinem Grund fühlt sich dieser unendlich weite, mit nichts als Traurigkeit gefüllte Raum gar nicht einmal so schlecht an. Vielleicht, dachte er weiter, könnte man sich da einfach hineinfallen lassen und tiefer und tiefer in sich selbst versinken und nie wieder an die Oberfläche zurückkehren. In diesem Moment hopste der Tonarm mit einem kratzenden Geräusch über die Platte, die Stimme stolperte und Franz öffnete wieder die Augen. Direkt vor ihm, mitten im Scheinwerferlicht, stand die Indianerin. Sie stand mit dem Rücken zum Publikum und bewegte sich nicht. Ihr Haar war pechschwarz und lief in langen, glatten Strähnen über Schultern und Rücken. An einem ledernen Stirnband war eine Feder befestigt. Ihre nackten Arme hatte sie in die Hüfte gestemmt, die Hände ruhten am Saum eines kurzen, bunt bestickten Fransenrocks. Sie war barfuß, und um die Fußgelenke waren schmale Lederbänder gewickelt, an denen winzige Glasperlen glitzerten. Ihre Beine glänzten im Licht. Es waren feste Beine, glatt, rosig und rund. Doch es waren vor allem die Kniekehlen, an denen er sie erkannte. In diesen Kniekehlen hatte er vor gar nicht allzu langer Zeit noch sein Gesicht vergraben, hatte sie mit der Zungenspitze Millimeter für Millimeter abgetastet, um sich dann auf die Reise in höher gelegene Gebiete zu begeben. Diese Kniekehlen waren weicher als alles, was Franz bisher kennengelernt hatte. Weicher als der See an einem stillen Spätsommertag, weicher als das Moos im Nußdorfer Süduferwäldchen und weicher sogar als die Hand seiner Mutter, die früher so oft an seiner Wange gelegen hatte, zum Trost, zur Belohnung oder einfach nur so, eine kurze Berührung, wie zufällig, im Vorübergehen.

Die Stimme aus dem Grammofon würgte ein raues Schluchzen hervor und im selben Moment fing Anezka an, sich zu bewegen. Zuerst war es nur das Wippen eines Fußes, dann begannen ihre Beine zu zucken, und gleich darauf schaukelte ihr Hintern sanft auf und ab. Sie hob ihre Arme und schwang sie langsam über dem Kopf. Die Trommelschläge aus dem Grammofon schienen ihren Körper direkt zu treffen, jeder Takt ein neuer kleiner Einschlag. Plötzlich drehte sie sich um. Ihr Gesicht war mit gelben und roten Streifen bemalt. Ihr Blick war in die Ferne gerichtet und verlor sich irgendwo über den Köpfen der Männer. Ihr Haar bedeckte ihre Brüste vollständig. Sie warf den Kopf in den Nacken, lachte zum Scheinwerfer hinauf und breitete die Arme aus, als wollte sie das Licht umarmen. Dann fing sie an, im trägen Rhythmus der Musik zu stampfen. Die Glasperlen an ihren Füßen klickerten und die Feder auf ihrem Kopf hüpfte im Takt. Franz sah, wie ein einzelner Schweißtropfen unter ihrem Haaransatz hervorschlüpfte, die Stirn hinunterlief und an einer der pechschwarz gefärbten Augenbrauen hängenblieb. Die Zuschauer wurden immer unruhiger, ein Mann begann mit beiden Händen auf seine Schenkel zu schlagen, aus dem Halbdunkel einer Nische drang ein heiseres Husten. Anezka stampfte auf die Bretter, dass sich der Staub zu kleinen Wölkchen verwirbelte, doch im nächsten Augenblick hatte sich ihr Körper wieder beruhigt, wiegte und schaukelte sacht hin und her. Plötzlich fasste sie mit beiden Händen in ihr Haar, teilte es und ließ es auf beiden Seiten über die Schultern nach hinten fallen. Es war eine einfache Bewegung, so selbstverständlich wie das Öffnen eines Vorhangs, doch die Wirkung war enorm. Einige Männer lächelten blöde. Andere erstarrten. Einer lachte hell auf. Ein anderer ließ sich wie von einer schweren Last befreit nach hinten gegen seine Stuhllehne fallen. Franz starrte auf Anezkas Brüste. Noch vor Kurzem hatte er mit dem Gesicht zwischen ihnen gelegen, hatte glücklich in diese unendlich zarte Mulde hineingeschnauft und sich auf merkwürdige Art zuhause gefühlt. Jetzt prangte ihr Busen in aller Öffentlichkeit herum. Ein Allgemeingut. Eine Sehenswürdigkeit. Das Schlimmste aber war, dass sie es zu genießen schien. Sie räkelte sich im Licht und schaukelte ihre Brüste, als wäre es eine angenehme Selbstverständlichkeit. Und vielleicht war es das ja auch. Mit einem koketten Lachen warf sie den Kopf abermals in den Nacken, drehte sich um, fasste sich an ihren Fransenrock und lüftete ihn langsam. Es war, als ob der Mond aufginge, raunend begrüßt oder still angestaunt von den Gestalten hinter ihren Tischen, in der Sicherheit ihrer dunklen Nischen. Franz fühlte, wie sich sein Herz zu einem Knoten zusammenzog. Er nahm sein Bier, drückte das kühle Glas gegen seine Schläfe, stellte es wieder ab, legte einen Geldschein auf den Tisch und verließ die Grotte, ohne einen weiteren Blick auf die Bühne zu werfen.

Draußen war es unerwartet warm. Bald würde Frühling sein. Im Hof roch es nach feuchten Mauern und Abfall. Franz setzte sich auf eine der Mülltonnen und sah zu der schmutzigen Glühbirne hinauf. Ein kleiner Nachtfalter flatterte wie verrückt um sie herum. Manchmal schlugen seine Flügel gegen die Fassung oder gegen den

Draht und erzeugten ein seltsam papierenes Geräusch. Doch dann berührte er das heiße Glas, und für einen Moment sah es aus, als würden seine Flügel glühen. Er stürzte ab wie ein kleiner Schatten, der vom Himmel fällt.

Die Grotte leerte sich nur allmählich. Ein Mann nach dem anderen trat ins Freie und torkelte durch die schmale Bretterzaungasse seinen alkoholvernebelten Fantasien hinterher. Niemand schien Franz zu bemerken, auch nicht die Echse und das Narbenmädchen, die kurz hintereinander das Etablissement verließen. Als Letzte kamen Anezka und der Conférencier heraus. Er schloss ab, legte seine Hand an ihre Wange, strich mit dem Daumen kurz unter ihrem Auge entlang und sagte irgendetwas. Sie lachte leise auf und steckte sich eine Zigarette an. In diesem Moment sprang Franz von der Tonne. Der Mann bückte sich blitzschnell, fasste unter sein Hosenbein und zog ein schmales Messer aus einem an seiner Wade befestigten Lederetui.

»Bleib stehen«, sagte er ruhig, »sonst schlitz ich dich auf. Und zwar vom Gürtel bis zum Kinn und wieder zurück!«

Die Klinge schimmerte matt im Schein der Glühbirne. Eine Weile war es still im Hinterhof. Nur in einer der Mülltonnen raschelte es leise.

»Stecks weg, Heinzi«, sagte Anezka, »ich kenn den.«

Der Conférencier zögerte kurz, ließ dann aber sein Messer wieder unter dem Hosenbein verschwinden.

»Ist jetzt gut, Heinzi«, sagte sie, »muss ich sprechen mit ihm!« Er schien einen Augenblick nachzudenken. Schließlich trat er einen Schritt an Franz heran und blickte ihm direkt in die Augen. An seinem linken Ohrläppchen glänzte ein geschliffener Stein, der von innen heraus wie von einer winzigen blauen Flamme erleuchtet schien. Sein Rasierwasser roch nach Lavendel.

»Du, ich kenn dich nicht«, sagte er leise. »Und es wär auch gescheiter, wenn wir uns nie kennenlernen. Hast mich verstanden?« Franz nickte.

»Dann ist es gut«, sagte Heinzi. Er warf Anezka einen schnellen Blick zu und entfernte sich durch die Gasse.

Anezka öffnete den Mund und ließ langsam den Zigarettenrauch entweichen. Für ein paar Augenblicke verschwand ihr Gesicht hinter einem bläulichen Schleier.

»Was machst da, Burschi?«

Franz zuckte mit den Schultern. »Hab mir das Programm angeschaut.«

»War scheen?«

»Geht so. Ist die Feder echt?«

»Genauso echt wie Haare.«

»Und er?«

»Was ist mit er?«

»Wer ist das?«

»Monsieur de Caballé.«

»Ich hab gedacht, er heißt Heinzi!«

»Auf Bühne heißt Monsieur de Caballé. Draußen heißt Heinzi. So ist Showgeschäft, Burschi!«

»Aha. Und was macht er so?«

»Hast du geschaut. Macht Programm.«

»Programm?«

»Programm und Spaß und Kabarett.«

»Und sonst?«

»Was sonst?«

»Was macht er nach der Vorstellung? Immer noch Programm und Spaß und Kabarett – mit dir zusammen vielleicht?«

Anezka zuckte mit den Schultern, suchte kurz mit ihrer Zunge im Mund herum und spuckte dann ein hellbraunes Tabakbrösel aufs Pflaster.

»Ist Kollege, verstehst du.«

»Natürlich versteh ich!«, rief Franz aus, »ich versteh sogar sehr gut! Ich hab ja gesehen, wie ihr beiden Turteltauberln aus eurem Verschlag geflattert seid!«

»Geflattert?«

»Geflattert! Und eines ist ja wohl sowieso klar: Der Herr de Caballé hat nicht nur ein Messer in seiner Hose, stimmts?«

»Manche haben was in Hose, manche nicht!«

»Was soll denn das heißen?«

»Wer bleed fragt, kriegt bleede Antworten, Burschi!«

»Ich heiß nicht Burschi, ich heiß Franz!«, schrie Franz und trat mit solcher Wut gegen eine Mülltonne, dass die laut scheppernd umkippte, in einem weiten Bogen über den Hof kollerte und erst knapp vor der gegenüberliegenden Wand zum Stillstand kam.

»Schleich dich, Heinzi!«, sagte Anezka ruhig. Ihr Blick lag auf dem Gassenausgang, wo für einen Moment der Schatten des Conférenciers aufgetaucht war und sich jetzt langsam wieder zurückzog. Franz starrte auf die stinkende Drecksspur, die die Tonne hinterlassen hatte.

»Gehörst du zu ihm?«, fragte er düster.

»Ich geheer zu keinem. Nicht einmal zu mir selber!«

Franz sah auf seine Schuhe hinunter. Das Leder war abgewetzt und rissig, und an den Kuppen begannen sich schon die Nähte zu lösen. Plötzlich fühlte er, wie irgendwo in ihm eine kleine Bosheit aufstieg und sich mit aller Macht vor seine Verzweiflung drängelte.

»Ich geb dir fünf Schilling, wenn du mir noch einmal deinen Hintern zeigst!«, sagt er. »Unter der Glühbirne sieht der sicher auch nicht schlecht aus!«

Kaum hatte er den Satz ausgesprochen, kam er sich vor wie ein Idiot. Ein dummer Bauernbub, ein lächerlicher Trafikantenlehrling, bei dem sich schon die Nähte zu lösen begannen.

»Entschuldigung«, sagte er leise.

»Ist schon gut, Burschi.« Anezka hielt ihre Zigarette gegen das Licht und blickte dem Rauch nach, der wie ein zittriger Faden senkrecht aufstieg und sich irgendwo auf Höhe der Dachrinnen verkräuselte.

»Ich heiße nicht Burschi«, sagte Franz mit tonarmer Stimme. Anezka schnippte ihre Zigarette weg und trat ganz nah an ihn heran. Ihr Atem roch nach Pfefferminz und Zigarettenrauch. Am Kragen ihres Mantels hing ein langes, schwarzes Haar. Sie stellte sich auf die Zehenspitzen und küsste ihn auf die Stirn. Dann drehte sie sich um und ging. Eine Weile hörte er, wie ihre Schritte in der Gasse davonklapperten und langsam leiser wurden. Auf dem Boden direkt unter der Glühbirne lag der tote Falter. Franz bückte sich, hob ihn mit den Fingerspitzen vom Boden und wickelte ihn behutsam in ein Taschentuch.

(Karte mit prächtig blühendem Rosendurcheinander und drei schneeweißen Tauben im Stadtpark)

Liebe Mama,
gestern hab ich es aus bestimmten Gründen nicht mehr ausgehalten und bin zum Westbahnhof wegen einer Karte nach Timelkam – ohne Rückfahrt. Die Frau hinterm Schalter hat nur gesagt zwei Schilling bitte, und sich dabei die Nägel lackiert. Und da ist etwas Komisches passiert: die Wurschtigkeit dieser Frau hat meine Sturheit gereizt. Und da hab ich ihr gesagt, sie soll sich ihre Karte sonstwohin stecken und bin wieder gegangen. So eine Wurschtigkeit darf sich nämlich nicht überall breitmachen, hab ich mir gedacht. Außerdem: Was wär dann mit der Trafik? Und mit dem Otto Trsnjek? Und mit dem Professor? Man hat ja mittlerweile eine Verantwortung, oder nicht?
Dein Franz

(Karte mit Entenfamilie im Vordergrund und rosig von der Morgensonne beschienenem Schafberg im Hintergrund)

Lieber Franzl,
ich glaube, ich kenne Deine »gewissen Gründe« ganz gut. Aber lass Dir eines sagen: Die Gründe von heute sind morgen schon die Gründe von gestern und spätestens übermorgen sind sie vergessen. Wahrscheinlich hätte mich vor Freude der Herztod erwischt, wenn Du auf einmal vorm Küchenfenster gestanden wärst. Trotzdem bin ich stolz auf Dich, weil du eben nicht gefahren bist. Ja, man hat eine Verantwortung! Vor allem für das eigene Gewissen.

Und Heimkommen tut man sowieso noch früh genug. Es
umarmt und drückt Dich so fest sie kann,
Deine Mama

»Ich bin ein Nichts. Ein wertloses Stück Dreck. Eine Fuß-
matte für die Abtritte der Menschheit. Ein Abfallkübel,
bis über den Rand angefüllt mit schlechten Gedanken,
schlechten Gefühlen und schlechten Träumen. So ist das.
Obendrein bin ich unansehnlich. Unschön. Ungustiös.
Und dick. Oh mein Gott, bin ich dick! Ein dickes, fettes
Nilpferd. Ein plumpes, tonnenschweres Walross. Eine
krankhaft ausgefressene Elefantenkuh. Das Einzige, was
nach meinem Tode noch von mir übrig sein wird, ist ein
teichgroßer Fettfleck. Ach, Herr Professor, wenn ich
doch nur schon tot wäre! Wenn es doch nur endlich
schon aus, vorbei und überstanden wäre!«

Mrs. Buccleton brach wieder in Schluchzen aus. Ihr
Kinn zitterte, ihre Wangen wackelten, ihr ganzer Körper
begann zu beben. Tatsächlich war sie stark übergewichtig
und auch ansonsten keine Schönheit. Das einzig Beach-
tenswerte an ihr waren, neben ihrer Körperfülle, die
zumeist weit aufgerissenen, hellblauen Kinderaugen, die
beständig bereit schienen, sich beim geringsten Anlass
mit Tränen zu füllen. Mrs. Buccletons Hysterie war geradezu idealtypisch. Sie war Amerikanerin, schwerreich,
fünfundvierzig Jahre alt und stammte aus einer sonnigen,
aber öden Kleinstadt im Mittelwesten. Vom früh verstorbenen Vater verhätschelt, von ihrer Mutter nie gemocht,
von ihren beiden Ehemännern betrogen und verlassen,
hatte sie versucht, ihren lebenslangen Kummer unter

Bergen von Schweinesülze, Pasteten und Kirschkuchen zu begraben. Seit sie die Ordination vor ein paar Monaten zum ersten Mal betreten hatte, waren ihre Fortschritte mäßig. Stets kam sie als aufrechte Dame von Welt, doch kaum hatte sie sich aus ihrer von einem weit über die Stadtgrenzen hinaus bekannten Übergrößenschneider maßgefertigten Lodenjacke helfen lassen und sich vor Anstrengung leise pfeifend auf die Couch hinabgesenkt, verwandelte sie sich in ein hilfloses und weinerliches Kleinkind, das noch dazu mit seinen Tränen und seiner Schminke die teuren Polsterüberzüge verschmierte. Seltsamerweise mochte Professor Freud sie trotzdem. Aus irgendeinem Grunde vermutete er unter ihrer nervtötenden Attitüde und der dicken Speckschicht einen virilen Geist und ein offenes Herz. Außerdem zahlte sie pünktlich und in Dollar.

»Erzählen Sie weiter«, sagte er. Wie immer saß er am Kopfende der Couch und beobachtete das leichte Wippen seiner eigenen Schuhspitze.

»Und ich werde von Tag zu Tag fetter!«, fuhr Mrs. Buccleton fort. »Auch diesen Monat habe ich wieder ein paar Kilo zugenommen. Meine Kleider passen mir nicht mehr. Besser gesagt: Ich passe nicht mehr in meine Kleider. Aber mittlerweile schäme ich mich ja, zum Schneider zu gehen. Ich schäme mich, überhaupt irgendwohin zu gehen. Ich schäme mich vor meinem eigenen Spiegelbild. Und vor allem schäme ich mich, jetzt hier vor Ihnen zu liegen, Herr Professor!«

Freud lehnte sich noch ein Stückchen weiter zurück. Der einzig wahre Grund, warum er sich während all der ungezählten Therapiesitzungen in den vergangenen Jahrzehnten hinter das Kopfende der Couch zurückgezogen hatte, war der, dass er es nicht ertragen konnte, eine Stunde lang von seinen Patienten angestarrt zu werden, beziehungsweise selbst in ihre hilfesuchenden, verärgerten, verzweifelten oder von irgendwelchen sonstigen Gefühlen verzerrten Gesichter blicken zu müssen. Gerade in letzter Zeit fühlte er sich oft überfordert von den erschöpfenden Stunden mit seinen Patienten und betrachtete ratlos deren Leid, das bei jedem Einzelnen die ganze Welt zu umfassen schien. Wie hatte er jemals auf die geradezu absurde Idee kommen können, diese Leiden verstehen zu wollen oder sie gar lindern zu können? Was für ein Teufel hatte ihn geritten, den Großteil seines Lebens der Krankheit, der Bedrückung und dem Elend zu widmen? Er hätte Physiologe bleiben und mit seinem Skalpell in aller Ruhe Insektenhirne in hauchdünne Scheiben schneiden können. Oder Romane schreiben, aufregende Abenteuergeschichten, die in fernen Ländern und alten Zeiten spielten. Stattdessen saß er jetzt hier und betrachtete aus dem Schatten seiner Sitzecke heraus Mrs. Buccletons runden Kopf. Ihr blondiertes Haar war an den Wurzeln grau, und ihre Nasenflügel bebten, während sie leise schniefte. Von hier aus gesehen, wirkte Mrs. Buccletons Nase wie ein dickliches Tierchen, das, ausgesetzt in einer unbekannten und bedrohlichen Wildnis, ängstlich vor sich hin bibberte. Irgendetwas daran rührte Freud. Gleichzeitig ärgerte ihn seine eigene Rührung. Es waren immer diese scheinbaren Kleinigkeiten und Nebensächlichkeiten, die ihn die mühsam aufgebaute Distanz zu seinen

Patienten vergessen ließen: das zerknüllte Taschentuch in der Hand eines Generaldirektors, die verrutschte Perücke einer alten Lehrerin, ein offener Schuhriemen, ein leises Schlucken, ein paar verlorene Worte oder eben jetzt Mrs. Buccletons zitternde Nase.

»Sie schämen sich also«, sagte er. »Wofür schämen Sie sich?«

»Für alles. Für meine Beine. Für meinen Nacken. Für die Schweißflecken unter meinen Achseln. Für mein Gesicht. Für mein ganzes Auftreten. Sogar zuhause, alleine unter meiner Bettdecke, schäme ich mich. Ich schäme mich für alles, was ich tue, habe und bin.«

»Hm«, meinte Freud, »und wie verhält es sich mit Ihrer Lust?«

»Wie bitte?«

»Was ist mit Ihrer Lust? Empfinden Sie nicht auch manchmal so etwas wie Lust?«

Mrs. Buccleton dachte nach. Draußen im Hof öffnete jemand ein Fenster, kurz war das Gekeife zweier Frauenstimmen zu hören, dann war es wieder still. Freud ließ den Blick über seine Antiquitätensammlung gleiten. Man müsste wieder einmal abstauben, dachte er, und zwar gründlich. Der Terrakotta-Reiter hatte schon eine dünne Staubschicht auf dem Schädel, und vom linken Ohr des chinesischen Wächters glaubte er sogar einen zart schimmernden Spinnwebfaden hängen zu sehen. Vielleicht, so dachte Freud weiter, würde auch seine Büste irgendwann in irgendeinem Zimmer stehen und still darauf warten, dass ihr jemand mit einem feuchten Tuch den Staub von der Glatze wischte.

»Ich empfinde Lust beim Essen«, sagte Mrs. Buccleton, »zum Beispiel beim Essen von großen Tortenstücken.«

»Oh«, sagte Freud und ließ langsam sein Kinn auf die Brust sinken.

»Da haben wir es!«, rief Mrs. Buccleton aus und warf triumphierend beide Arme in die Höhe.

»Was haben wir?«

»Sie verachten mich!«

»Wie kommen Sie denn darauf?«

»Ihr ›Oh‹ hatte einen verächtlichen Unterton! Entwertend und verächtlich! Außerdem haben Sie Ihren Kopf nach vorne sinken lassen. Glauben Sie, ich hätte es nicht bemerkt? Ich kenne das Geräusch der Barthaare auf Ihrem Kragen!«

Unwillkürlich richtete sich Freud in seinem Sessel auf und reckte das Kinn nach vorne. Doch schon im nächsten Augenblick ärgerte er sich wiederum über seine eigene kleine Unsicherheit, über dieses lächerliche Gefühl, ertappt worden zu sein, wie ein Volksschüler beim Grimassenreißen hinter dem Rücken seiner Lehrerin.

»Meine liebe Mrs. Buccleton, lassen Sie sich Folgendes sagen«, knurrte er mit der ganzen ihm gerade zur Verfügung stehenden Freundlichkeit, »mein ›Oh‹ hatte weder einen entwertenden noch einen verächtlichen noch irgendeinen anderen Unterton. Mein ›Oh‹ war vielmehr nur der zum Laut geformte Ausdruck meiner Aufmerksamkeit. Und wenn mein Kopf hin und wieder der Schwerkraft nachgibt, so möchte ich Sie bitten, ihm gnädigst zu verzeihen: Er ist mittlerweile über achtzig

Jahre alt, hat viel gearbeitet in seinem Leben und ruht auf einer Reihe ziemlich morscher Halswirbel.«

»Es tut mir leid, Herr Professor«, schniefte Mrs. Buccleton kleinlaut.

»Um auf unser Thema zurückzukommen, Verehrteste«, fuhr Freud streng fort, »die Scham und die Lust sind wie Geschwister, die Hand in Hand durchs Leben gehen – wenn man sie nur lässt. Aus Gründen, die sich noch im Dunkel Ihrer Vergangenheit verbergen, die ich aber in absehbarer Zeit mit Ihrem gütigen Beistand ins Licht der Erkenntnis zu heben gedenke, gedeiht bei Ihnen nur eines der Geschwisterchen, während das andere verkümmert und allerhöchstens in irgendwelchen Konditoreien zu seinem Recht gelangt.«

»Meinen Sie?«

»Ja, das meine ich.«

»Aber was kann ich tun, um dem armen Ding zu seinem Recht zu verhelfen?«, fragte Mrs. Buccleton hoffnungsvoll.

Freud beugte sich nach vorne, verschränkte die Arme vor der Brust und sah seiner Patientin mit seinem durchdringendsten Blick in die Augen: »Hören Sie auf, Torten zu essen!«

Mit einem aus den tiefsten Tiefen ihrer Seele aufsteigenden Schmerzenslaut, warf Mrs. Buccleton ihren schweren Körper herum, sodass die Couchbeine knacksten, das Parkett erbebte und das Heer der Antiquitäten in den Regalen zu zittern und zu hüpfen begann, als wäre es nach all den starren Jahrhunderten endlich zum Leben erwacht.

Nachdem Mrs. Buccleton gegangen war, stand der Professor noch eine Weile am Fenster und sah in den Hof hinunter. Es war warm geworden in den letzten Tagen, der Schnee war längst geschmolzen, und bald würden die Kastanien austreiben. Gestern hatte sich Schuschnigg mit einer großen Rede an sein Volk gewandt. In seiner Heimatstadt Innsbruck präsentierte er sich im zünftigen Tiroler Anzug und fragte seine Zuhörer, ob sie sich in der für den 13. März angekündigten Volksabstimmung für ein »freies, deutsches, unabhängiges, soziales, christliches und vereintes Österreich« entscheiden wollten. Und während über zwanzigtausend Anhänger ihre Zustimmung in die klare Tiroler Bergluft hinausbrüllten, saß Adolf Hitler wahrscheinlich gerade irgendwo in Berlin vor dem Radio und leckte sich die Lippen. Österreich lag vor ihm wie ein dampfendes Schnitzel auf dem Teller. Jetzt war die Zeit, es zu zerlegen. In Wien war es nach Schuschniggs Rede zu heftigen Zusammenstößen zwischen Anhängern und Gegnern gekommen. Die Patrioten schwärmten in die ganze Stadt aus und brüllten: »Heil Schuschnigg!« und »Wir stimmen mit Ja!« Doch mit der Macht einer stummen Masse im Rücken krochen jetzt auch die Nationalsozialisten wieder aus ihren Löchern und liefen lärmend durch die Straßen: »Heil Hitler!«, schrien sie, »Ein Volk! Ein Reich! Ein Führer!« Bis in die frühen Morgenstunden hallte das Gebrüll vereinzelter Zusammenrottungen in den Straßen wie wütendes Hundegebell.

Unten im Hof tauchte Frau Szubovic auf, die tratschsüchtige Hausmeistergattin, winkte zum Professor hinauf und fing an, Taubengift in die Ecken zu streuen. Freud tat, als ob er sie nicht gesehen hätte, und trat schnell einen Schritt ins Zimmer zurück. Auf seinem Schreibtisch stapelten sich unbeantwortete Briefe. Die ganze Welt schien etwas von ihm zu wollen. Die Leute hätschelten ihre kleinmütigen Sorgen und hatten noch gar nicht begriffen, dass unter ihnen die Erde glühte. Er nahm einen der unscheinbareren Briefe in die Hand und öffnete ihn: »Hochverehrter Herr Professor Dr. Sigmund Freud! Im nächsten Jahr erscheint in unserem allseits bekannten und beliebten Verlag Erdenwerk eine Anthologie mit dem vorläufigen Arbeitstitel *Heimische Obstgärten als Orte der inneren Einkehr*. Zu diesem Anlass erlauben wir uns, Sie, verehrter Herr Professor, zu bitten, ein kurzes Essay zum Thema oder zumindest ein paar Grußworte …« Mit einer müden Bewegung zerknüllte er den Brief und warf ihn in Richtung Papierkorb. Das Knäuel prallte vom Korbrand ab, kullerte über den Parkettboden zurück und landete direkt vor seinen Füßen. Kurz verspürte er den Drang, es mit einem wilden Tritt durchs Zimmer zu pfeffern, doch im selben Moment pochte es an der Tür. Es war unverkennbar seine Tochter Anna. Martha klopfte, Anna pochte.

»Was gibts?«, murrte der Professor.

»Er ist wieder da.«

»Wer?«

»Der Trafikantenbub.«

Freuds Gesicht hellte sich auf. Eigentlich hatte er sich in Gegenwart sogenannter »einfacher Leute« immer ein wenig unbeholfen und deplatziert gefühlt. Mit diesem Franz aber verhielt es sich anders. Der Bursche blühte.

Und zwar nicht wie die über die Jahrzehnte ausgebleichten und durchgesessenen Strickblüten auf einer der vielen Decken, die seine Frau immer so sorgfältig über die Couch drapierte und in deren dicken Wollfasern sich auf magische Weise der Staub der ganzen Stadt zu sammeln schien. Nein, in diesem jungen Menschen pulsierte das frische, kraftvolle und obendrein noch ziemlich unbedarfte Leben. Außerdem stellte der kolossale Altersunterschied zwischen ihnen automatisch die Distanz her, die er für angenehm erachtete, ja, die ihm den näheren Kontakt mit den allermeisten Mitmenschen im Grunde genommen erst erträglich machte. Franz war blutjung, des Professors Welt hingegen drohte immer mehr zu vergreisen. Selbst seine Tochter, der er, wie ihm plötzlich vorkam, erst vorgestern noch auf dem Badewannenrand sitzend die Milchzähne geputzt hatte, war nun schon über vierzig Jahre alt. Ganz zu schweigen von den Patienten sowie vom Rest der Verwandtschaft und den wenigen Freunden, die noch geblieben waren. Langsam, mit seniorenhaften Schrittchen trippelte man der fortschreitenden Versteinerung entgegen, bis man sich schließlich, ohne großartig aufzufallen, in die eigene Antiquitätensammlung würde einordnen können.

»Papa?« Ohne ein weiteres Mal zu pochen, hatte Anna das Zimmer betreten. Wieder einmal trug sie eine Hose. Der Professor hasste Hosen an Frauenbeinen. Auch und vor allem an den Beinen seiner Tochter. Doch in gewissen Angelegenheiten war es nicht ratsam, sich mit ihr anzulegen, also sollte sie seinetwegen eben ihre Hosen tragen. Solange sie damit zuhause blieb.

»Sitzt er wieder auf der Bank?«

Anna nickte. »Seit eineinhalb Stunden.«

»Hat er was mitgebracht?«

»Das weiß ich nicht. Aber du solltest sowieso nicht mehr außer Haus gehen!«

»Wieso denn nicht?«

»Das weißt du ganz genau!«

Freud zuckte mit den Schultern. Natürlich wusste er es. Er war alt. Er war krank. Er war Jude. Und in den Straßen trieb sich viel zu viel Gesindel herum. Doch vor Geschehnissen zu kapitulieren, die noch nicht einmal richtig begonnen hatten, kam nicht in Frage. Und vor seiner eigenen Tochter schon gar nicht.

»Nein, ich weiß es nicht!«, sagte er stur. »Und jetzt hol mir meinen Mantel und meinen Hut!« Anna lächelte. Sie trat einen Schritt auf ihren Vater zu und fasste ihm ans Kinn. Er öffnete den Mund, und sie schob vorsichtig ihren Daumen zwischen seine Kiefer. Mit der Kuppe drückte sie fest gegen den hinteren Teil der Prothese. Es gab ein knackendes Geräusch, und er verzog schmerzvoll sein Gesicht.

»Sitzt!«, sagte Anna nach einem kurzen Blick in seine Mundhöhle. Sie zog ihren Daumen zurück, wischte ihn mit einem Taschentuch ab, stellte sich auf die Zehenspitzen und küsste ihren Vater schnell auf beide Wangen.

»Ist ja schon gut«, murmelte er, trat einen Schritt zurück und rieb sich den Bart. Im Laufe der Jahrzehnte hatte er gelernt, mit Schmerzen umzugehen, vielleicht würde ihm das mit Zärtlichkeitszuwendungen irgendwann auch noch einmal gelingen.

»Pass auf dich auf!«, sagte Anna. Dann bückte sie sich, hob den zerknüllten Obstgärtnerbrief auf und beförderte ihn mit einem gezielten Wurf in den Papierkorb.

Gerade als Franz im Begriff war, sich auf eine längere Wartezeit einzurichten und gegen alle Regeln der althergebrachten Wiener Anständigkeit die Beine hochzulegen, um sich der Länge nach auf der Bank auszustrecken, ging drüben das Tor auf, und der Professor trat ins Freie. Wie schon beim ersten Mal überquerte er mit etwas wackeligem, aber dennoch einigermaßen forschem Schritt die Straße und hielt direkt auf die Bank zu.

»Bist du eigentlich schon einmal auf die Idee gekommen, zu läuten?«, fragte er. »Das würde einiges erleichtern.«

»Auf die Idee bin ich schon gekommen«, antwortete Franz, der längst aufgesprungen und Freud entgegengeeilt war, »nur hab ich mich nicht getraut, Sie zu stören!«

»Manchmal muss man Menschen eben stören, wenn man sie erreichen will!«, sagte Freud und überreichte Franz ein sorgfältig in Seidenpapier eingewickeltes Päckchen. »Hier hast du deinen Schal zurück: Er ist gewaschen und gebügelt und duftet wie eine Rosenhecke. Die Damen haben ihr Bestes gegeben!«

»Meinen herzlichen Dank und ganz hochachtungsvolle Grüße in den ersten Stock hinauf, Herr Professor! Aber wollen Sie sich nicht setzen?«, sagte Franz mit einer einladenden Handbewegung. »Nein danke«, sagte Freud und warf einen verstohlenen Blick zum Wohnzimmerfenster im ersten Stock, in dem sich der klare Frühlingshimmel spiegelte, »wir machen heute einen Spaziergang!«

Sie stiegen die Berggasse hinauf, hielten sich an der Währingerstraße links, gingen im Bogen um die Votivkirche herum und weiter in Richtung Rathaus. Die Luft war mild, seit Wochen hatte es nicht mehr geschneit, und im Votivpark blühte viel zu früh der Flieder. Ein leichter Föhnwind war aufgekommen und trieb Unmengen von Flugzetteln, die zur sonntäglichen Wahl aufriefen, durch die Straßen. *Ja zu Österreich* stand darauf und *Rot-Weiß-Rot – bis in den Tod!* Franz hatte sich das Päckchen mit dem Schal unters Hemd gesteckt, wo es ihm leise knisternd den Bauch wärmte. Da hatten also die Damen ihr Bestes gegeben, dachte er und versuchte, seinen Stolz nicht wie eine Laterne vor sich her zu tragen. Immer wieder blickte er aus den Augenwinkeln zum Professor, der mit kleinen Schritten neben ihm ging. Sein Stock klackerte in gleichmäßigem Rhythmus aufs Pflaster, als müsste er sich den Weg erst ertasten. Dabei atmete er flach und unregelmäßig und entließ jedes Mal beim Ausatmen ein leise zischendes Geräusch. Am liebsten hätte Franz ein bisschen gekichert. Oder gleich laut aufgelacht. Eigentlich war er sich in der Nähe sogenannter »gescheiter Leute« immer ein bisschen linkisch und fehl am Platz vorgekommen. Mit dem Professor aber war das anders. Dieser alte Herr war nicht einfach nur gescheit. Am See galt man ja schon als belesen, wenn man die Überschriften des Gemeindeblättchens oder den Fahrplan im Timelkamer Bahnhof einigermaßen entziffern konnte. Und auch die vielen Doktoren und Studienräte aus Wien,

München oder Salzburg, die sich im Sommer scharenweise ans Ufer legten, um sich ihre weißen Fischbäuche rosig aufbrennen zu lassen, erwiesen sich spätestens nach ein paar Litern Bier beim *Goldenen Leopold* als im Grunde genommen doch recht einfache, um nicht zu sagen geradezu geistlos vor sich hin fabulierende Gemüter. Der Professor hingegen war dermaßen klug, dass er sich die Bücher, die er lesen wollte, gleich auch selber schreiben konnte. Genau so ist das, dachte Franz und lächelte in sich hinein, während sie im Schatten des langgestreckten Universitätsgebäudes dahingingen. Aber da war noch etwas anderes. Ein einzelner Gedanke, der jäh auftauchte wie ein kleines Erschrecken und sich tief in seinem Inneren schnell zu einem anhaltenden Gefühl ausbreitete. Einem Gefühl, das da drinnen jetzt seinen Platz beanspruchte und sich – so viel war klar – nicht mehr so leicht verscheuchen lassen würde: Er hatte Mitleid mit dem Professor. Vieles an ihm rührte ihn irgendwie. Der schiefe Kiefer zum Beispiel. Oder der immerzu leicht gebeugte Rücken. Die schmalen, eckigen Schultern. Die alten Finger, die sich fleckig und dürr am Knauf seines Gehstocks festhielten. Dieses Altwerden ist doch eigentlich ein einziges Elend, dachte Franz wehmütig und gleichzeitig ein bisschen wütend. Was nützte die ganze Gescheitheit, wenn einen die Zeit ja doch irgendwann erwischte?

Vor dem Rathaus hatten sich Kinder und Jugendliche zu kleinen Grüppchen versammelt. Sie lungerten an den Ecken, blockierten Arm in Arm die Gehsteige oder liefen lachend und schreiend über den Platz und schwenkten ihre Mützen und Hakenkreuzfähnchen. Vereinzelt standen Polizisten herum und schauten dem Treiben mit auf dem Rücken verschränkten Armen zu. Ein Volksschulbub in kurzen Hosen krähte »Sieg Heil!« und ließ sich mit ausgestreckten Armen und Beinen rücklings ins Gras fallen. Über die Ringstraße brauste der Freitagnachmittagsverkehr. Motoren knatterten, Pferdehufe rappelten übers Pflaster, Fiakerkutscher schnalzten mit den Zungen und ließen ihre dünnen Peitschen durch die Luft zischen. Die Gehsteige waren bevölkert mit durcheinanderplappernden Menschen. Es war warm, die Sonne schien, ein angenehmes Lüftchen wehte. Es ging ins Wochenende, es ging voran, es ging um die Zukunft, es tat sich was in der Stadt, im Land, draußen in der Welt. Ein Diesellastwagen mit einer Gruppe von Arbeitern auf der Ladefläche rumpelte langsam vorüber. Die Männer schwenkten ihre Hüte und schrien im Chor Parolen gegen Hitler und für die österreichische Arbeiterschaft. Einer der Männer sprang vom fahrenden Wagen seiner Schiebermütze hinterher, die er hoch in die Luft geworfen hatte und die vom Wind davongetragen worden war. Er kam ungeschickt auf, stürzte und blieb regungslos auf der Seite liegen. Sofort bildete sich eine kleine Menschenmenge um ihn. Der Wagen fuhr weiter.

Franz und der Professor ließen das Burgtheater links liegen und gingen in den Volksgarten. Auch hier blühte überall der Flieder. Die hohen Hecken und die Bäume dämpften den Straßenlärm, und von der dicht mit Gras überwucherten Erde stieg eine kühle Feuchtigkeit auf. Franz war noch nie hier gewesen. Gerne wäre er ein bisschen herumgegangen und hätte sich umgesehen, und noch viel lieber wäre er insgeheim mit dem Professor unter einen der Büsche gekrochen, um in der grünen Blätterdämmerung ungestört alles Mögliche zu besprechen. Doch Freud steuerte zielsicher auf das gegenüberliegende Ende des Parks zu, wo sie in einer Heckennische unter einer alten Kastanie eine leere Bank fanden und sich setzten. Vorsichtig griff Franz in seine Brusttasche und zog eine wunderschöne Hoyo de Monterrey heraus. Freud nahm die Zigarre entgegen, hielt sie sich vors Gesicht und betrachtete eine Weile ihre Silhouette, ehe er sie in den Mund steckte und anzündete. Während des Spaziergangs hatten sie kein Wort gesprochen, und auch jetzt saßen sie schweigend nebeneinander. Der Professor paffte kleine Rauchwolken in die Luft und knarrte mit dem Kiefer. Irgendwo weit weg brüllte jemand »Heil Hitler!«. Ein Juchzer war zu hören. Ein helles Gelächter. Dann wieder die gedämpften Geräusche des Straßenverkehrs.

Mit einem unterdrückten Ächzen lehnte sich der Professor zurück, blinzelte eine Weile in das vom Sonnenlicht durchblitzte Blättergewirr hinauf und sagte schließlich: »Du lässt dich unsere Zusammenkünfte ja einiges kosten!«

»Wie bitte, Herr Professor?«

»Eine Zigarre dieser Qualität ist nicht gerade preiswert.«

»Dafür ist sie an den fruchtbaren Ufern des Flusses San Juan y Martínez von tapferen Männern geerntet und von schönen Frauen in zarter Handarbeit gerollt worden«, sagte Franz und nickte ernst.

»Wobei sich mir in diesem Zusammenhang nicht ganz erschließen will, warum ausgerechnet die Tapferkeit so eine herausragende Eigenschaft kubanischer Tabakbauern sein soll«, widersetzte Freud. »Doch das nur nebenbei. Wenn wir aber andererseits schon von schönen Frauen sprechen: Ich hoffe, dass deine Bemühungen, das weibliche Geschlecht betreffend, zum Erfolg geführt haben. Wie auch immer dieser Erfolg ausgefallen sein mag.«

»Genau deswegen wollte ich mit Ihnen sprechen«, sagte Franz bitter. »Meine Bemühungen haben nämlich zu überhaupt nichts geführt. Obwohl ich mir da wiederum gar nicht so sicher bin. Ich weiß es einfach nicht. Im Grunde genommen weiß ich überhaupt nichts!«

»Immerhin ist diese Erkenntnis der erste Schritt im steilen Stiegenhaus zur Weisheit«, erwiderte Freud. »Aber lass uns erst einmal versuchen, ein bisschen Licht in die Verdunkelungen zu bringen: Hast du sie gesucht?«

»Ja, Herr Professor.«

»Hast du sie gefunden?«

»Ja, Herr Professor!«

»Hast du sie gefragt, wie sie heißt?«

»Ja, Herr Professor!«

»Soll ich dir vielleicht jedes Wort einzeln aus der Großhirnrinde pressen?«

»Nein, Herr Professor. Sie heißt Anezka!«

»Böhmin?«

»Ja. Aus einem an den Hügel Viničný wie an einen dunklen Liebhaber geschmiegten, wunderschönen Dorf namens Dobrovice im Landkreis Mladá Boleslav.«

»Ein Hügel wie ein dunkler Liebhaber?«

Franz nickte traurig. Freud kramte ein Streichholz aus seiner Schachtel, entzündete es und hielt es behutsam an die Glutfläche, die etwas unregelmäßig zu geraten drohte.

»Die böhmische Küche ist ja wirklich ganz wunderbar«, sagte er und betrachtete versonnen seine nun wieder gleichmäßig glühende Hoyo.

»Ja, wunderbar …«, murmelte Franz. Gegenüber, auf der anderen Seite des immer noch winterkahlen Rosenbeetes, gingen zwei verwitterte Damen vorüber und warfen spitze Blicke auf die Männer, die da so selbstverständlich die gewohnheitsrechtlich eigentlich ihnen zustehende Bank besetzt hielten. Aus der entgegengesetzten Richtung kam ein Parkwächter herangeschlendert. Er grüßte, indem er kurz eine Hand an seinen Mützenschirm hob, und fing an, mit einem dünnen Stecken in dem Mistkübel neben der Bank herumzustochern.

Die Herren mögen entschuldigen, meinte er nebenbei, es sei halt wegen der Bomben. Und natürlich, fügte er hinzu, wegen all der anderen von der Stadtverwaltung nicht tolerierbaren Gegenstände.

Um welche Gegenstände es sich denn dabei genau handle, wollte Freud wissen.

Der Parkwächter zuckte mit den Schultern. Das könne man nicht sagen, meinte er, allerhöchstens werde man es herausfinden, wenn man einen dieser Gegenstände fände.

Warum man denn ausgerechnet in den Volksgartenmistkübeln verdächtige Gegenstände und Bomben zu finden glaube, fragte Freud.

Warum denn nicht, gab der Parkwächter zu bedenken, warum denn nicht ausgerechnet und gerade in den Volksgartenmistkübeln? Schließlich könne man in so ein Bombenlegerhirn ja nicht hineinschauen. Aber jetzt müsse man schon verzeihen, der Volksgarten sei schließlich nicht klein und Mistkübeln gäbe es in Wien wie Sand am Meer. Einen angenehmen Tag, die Herren, auf Wiedersehen.

»Gut«, sagte Freud, nachdem der Wächter hinter der Hecke verschwunden war. »Und was genau war jetzt mit dir und dieser Anezka?«

»Ich habe sie berührt«, sagte Franz. »Und es war das Schönste, was ich je erlebt habe!«

»Das freut mich. Ich hoffe, sie hat dich ebenfalls berührt?«

»Natürlich! Und wie! Überall! Und jede Stelle, die sie berührt hat, brennt noch immer! Mein ganzer Körper brennt wie Zunder!«

Freud tippte nachdenklich mit dem Mittelfinger an seine Zigarre. »Die Liebe ist ein Flächenbrand, den niemand löschen will und löschen kann«, sagte er und sah zu, wie die Ascheflöckchen langsam auf den Kies hinuntertrudelten.

»Ich schon!«, rief Franz aus und sprang mit einem wilden Satz von der Bank. »Ich kann und ich will ihn löschen! Ich möchte doch nicht als Aschehäufchen im Hinterzimmer einer Trafik enden!«

»Setz dich wieder hin und hör auf, in aller Öffentlichkeit herumzuschreien!«, befahl Freud mit plötzlicher Schärfe. Franz gehorchte. »Und jetzt noch einmal ganz in Ruhe: Du hast sie also wiedergesehen. Du weißt, wie sie heißt. Du weißt, woher sie kommt. Ihr habt euch berührt. Und weiter?«

»Danach war sie verschwunden.«

»Schon wieder?«

»Das ist es ja: Sie war einfach weg! Nicht einmal die Frauen im gelben Haus haben mir sagen können, wo sie ist.«

»Die Frauen im gelben Haus?«

»Alles Böhminnen. Außer der alten Frau mit ihrem Schwein.«

Der Professor hob seinen Blick gegen den Himmel, als würde er sich von dem strahlenden Blau dort oben irgendeinen brauchbaren Zuspruch erwarten. Aber da kam nichts. Mit einer müden Bewegung nahm er seinen Hut ab und setzte ihn auf eines seiner Knie.

»Wenn das Schwein für den weiteren Verlauf der Geschichte keine nennenswerte Bedeutung hat, möchte ich dich bitten, fortzufahren und zum Ende zu kommen, und zwar noch bevor die Welt untergeht, was, wie wir wissen, demnächst geschehen kann!«

»Entschuldigung, Herr Professor«, sagte Franz zerknirscht. »Sie war also verschwunden. Aber nach ein paar Wochen hab ich sie wiedergefunden. Ich hab mich am gelben Haus hinter einen Schutthaufen gesetzt und sie abgepasst, dann bin ich ihr nachgegangen. Bis in den Prater. Bis in die Grotte. Die Grotte ist ein Kabarett. Oder ein Tanzlokal. Oder beides. Jedenfalls außen grün, innen rot; verraucht, stickig, eine Unmenge von Kerzen und so weiter. Ich hab was zu trinken bestellt und als Erstes ist Monsieur de Caballé aufgetreten.«

»Wer?«

»In Wirklichkeit heißt er Heinzi. Er erzählt Witze und

macht Hitler zum Hund. Die Kellnerin hat ihn an einer Leine abgeführt, und die Musik ist losgegangen.«

»Was für eine Musik?«

»Weiß nicht. Ziemlich rhythmisch, irgendwie auch traurig. Jedenfalls ist dann Anezka aufgetreten.«

»Na endlich.«

»Ja. Aber eigentlich war es gar nicht Anezka, sondern eine Indianerin namens N'tschina. Beziehungsweise es war natürlich schon Anezka, nur eben in einem Indianerkostüm, mit Perücke und Feder und allem Drum und Dran. Und sie hat getanzt. Allerdings war das kein normaler Tanz. Es war ein ziemlich … aufregender Tanz.«

»Könntest du dich vielleicht etwas genauer ausdrücken?«

»Sie hat sich ausgezogen. Sie hat ihren Bauch, ihren Busen und ihren Hintern ins Scheinwerferlicht gehalten.«

»Und ich nehme an, das war das Schönste, das du in deinem Leben je gesehen hast?«

»Ja, das war es. Obwohl ich das ja alles schon gekannt habe. Das Fürchterliche daran ist nur, dass diesmal noch ein Haufen anderer Männer dabei war! Ich bin jedenfalls gegangen und hab mich vor dem Eingang auf eine Mülltonne gesetzt. Später ist sie auch rausgekommen. Allerdings nicht alleine. Monsieur de Caballé war bei ihr!«

»Heinzi?«

»Ja. Er hat ein Messer aus seiner Hose gezogen, hat sich aber gleich wieder beruhigt und mich in Frieden gelassen. Wir haben geredet, Anezka und ich, und sie hat mich währenddessen so kalt angesehen. Dafür hab ich sie gehasst. Gleichzeitig hat sie mir leidgetan. Weil sie vor diesen Männern ihren Hintern ins Licht halten muss. Ich selbst hab mir aber noch viel mehr leidgetan. Und da hab ich gegen die Tonne getreten und Anezka beleidigt, und sie hat mir einen Kuss gegeben und ist gegangen, und ein Falter ist vom Himmel gefallen und alles, alles, alles war vorbei.«

Der Professor schloss die Augen und nahm einen tiefen Zug von der Hoyo. Mit der anderen Hand fasste er sich ans Kinn und bewegte den Unterkiefer gegen den Druck seiner Finger vorsichtig nach beiden Seiten. Plötzlich ließ er seine Hand in den Schoß fallen und drehte den Kopf zu Franz.

»Liebst du sie?«

»Wie bitte, Herr Professor?«

»Liebst du dieses böhmische Pratermädel?«

»Ha!«, lachte Franz hell auf und schlug sich mit der Hand klatschend auf den Oberschenkel. Und gleich noch einmal hinterher: »Ha!« Aber natürlich!, wollte er sagen. Aber selbstverständlich! wollte er dem Professor mit einer plötzlich in ihm aufsteigenden, fast beängstigenden Fröhlichkeit ins Gesicht schreien, in den Volksgarten und in die ganze Welt hinausbrüllen. Ja, was war das überhaupt für eine Frage? Was sollte das denn, bitteschön, für eine überflüssige, idiotische, an den Haaren herbeigezogene und alles in allem völlig blödsinnige Frage sein! Natürlich liebte er sie! Selbstverständlich liebte er sie! Er liebte, liebte, liebte sie! Mehr als alles andere in der Welt! Mehr sogar als das eigene Herz und das eigene Blut und das eigene Leben! Ungefähr das und noch viel mehr wollte Franz dem Professor entgegenschreien. Doch merkwürdigerweise brachte er nichts davon heraus. Kein Wort. Keine Silbe. Stattdessen blieb er einfach stumm. Und auch ein weiteres Lachen, das ihn gerade eben noch im Hals gekitzelt hatte, war einfach stecken geblieben und löste sich jetzt nur langsam auf, wie eines dieser gelben Brausezuckerln, die die alte Frau Seidlmeier in ihrem winzigen Nußdorfer Lebensmittelgeschäft den Kindern manchmal zugesteckt hatte und die erst so schön britzelten im Mund, dann aber recht schnell nichts als verklebte Zähne und einen bitteren Nachgeschmack hinterließen. Franz ließ den Kopf sinken.

»Ich weiß es nicht«, sagte er leise. »Eigentlich war ich mir sicher. Aber jetzt weiß ich es nicht mehr.«

Freud nickte langsam. Wieder bemerkte Franz, wie zerbrechlich er war. Ein kleiner, eckiger Totenkopf, der nur noch wie durch ein Wunder auf dem dürren Hals zu balancieren schien. In seinem Bart hatten sich ein paar Ascheflöckchen verfangen. Am liebsten hätte Franz sich nach vorne gebeugt und sie eins nach dem anderen herausgezupft.

»Also gut«, sagte Freud. »Ich schlage vor, dass wir jetzt erst einmal die Begrifflichkeiten klären. Ich vermute, wenn wir von deiner Liebe sprechen, meinen wir in Wahrheit deine Libido.«

»Meine was?«

»Deine Libido. Das ist die Kraft, die Menschen ab einem gewissen Alter antreibt. Sie schafft ebenso viel Freude wie Leid und hat, etwas vereinfacht gesprochen, bei Männern ihren Sitz in der Hose.«

»Auch bei Ihnen?«

»Meine Libido ist längst überwunden«, seufzte der Professor.

Plötzlich raschelte es neben der Bank. Im nächsten Moment kam ein kleiner Vogel aus der Hecke geflattert und setzte sich direkt vor die Füße der beiden Männer in den Kies. Er hatte den Körperbau eines Sperlings, doch sein Gefieder sah aus wie gebleicht, mit einigen fahlgelblichen Flecken an der Seite. Seine Augen waren rot. Eine Weile saß der Vogel reglos da, dann breitete er die Flügel aus, duckte sich und fing an, sich im Kies zu wälzen. Dabei wackelte er mit dem Schwanz und schüttelte sein Gefieder. Genauso plötzlich, wie er damit begonnen hatte, hörte er auch wieder auf. Mit zwei Hüpfern bewegte er sich auf die Bank zu, verharrte für einen Moment, flog schließlich auf und zog in einem weiten Bogen in Richtung Schottenring davon.

»Jetzt sind sogar schon die Spatzen verrückt geworden«, sagte Franz und wischte mit dem Fuß über den Kies.

»Das war der Pestvogel«, murmelte Freud. »Es heißt, dass er immer nur vor dem Ausbruch von Seuchen, Kriegen und anderen Katastrophen auftaucht.« Die Zigarre in seiner Hand knisterte. Ein leichter Wind war aufgekommen und rauschte in den Baumkronen.

»Wird es denn eine Katastrophe geben, Herr Professor?«

»Ja«, sagte Freud und blickte dem Pestvogel hinterher, der längst irgendwo hinter dem Burgtheater verschwunden war.

»Herr Professor, ich glaube, ich bin ein riesengroßer Depp«, sagte Franz nach ein paar Augenblicken angestrengt nachdenklichen Schweigens. »Ein von hinten bis vorne verblödeter oberösterreichischer Schafsschädel.«

»Gratuliere, die Einsicht ist die Hebamme der Besserung!«

»Ich habe mich nämlich gerade gefragt, was meine dummen, kleinen Sorgen überhaupt für eine Berechtigung haben neben diesen ganzen verrückten Weltgeschehnissen.«

»Ich glaube, da kann ich dich beruhigen. Erstens sind Sorgen in Bezug auf Frauen zwar meistens dumm, aber selten klein. Und zweitens könnte man die Frage auch andersrum stellen: Was hat dieses ganze verrückte Weltgeschehen überhaupt für eine Berechtigung neben deinen Sorgen?«

»Sie machen sich lustig über mich, Herr Professor!«

»Nein, das mache ich nicht!«, widersetzte Freud und erhob statt des Zeigefingers energisch seine Zigarre »Das derzeitige Weltgeschehen ist nichts weiter als ein Tumor, ein Geschwür, eine schwärende, stinkende Pestbeule, die bald platzen und ihren ekeligen Inhalt über die gesamte westliche Zivilisation entleeren wird. Das ist zugegeben etwas drastisch und bildhaft formuliert, nichtsdestotrotz aber die Wahrheit, mein junger Freund!«

Franz spürte einen merkwürdigen Stolz in sich aufsteigen, der irgendwo hinter seiner Stirn zerplatzte und wie ein warmer Schauer in seinen Kopf hineinrieselte. Er war jetzt der *Junge Freund* des Professors.

»Die Wahrheit ...«, wiederholte er mit einem nachdenklichen Kopfwiegen. »Legen sich die Leute auf Ihre Couch, um solche Wahrheiten zu hören?«

»Ach was«, sagte Freud und betrachtete mürrisch den kurzen Rest seiner Hoyo. »Würde man immer nur die Wahrheit sagen, wären die Ordinationen staubig und leer wie kleine Wüsten. Die Wahrheit spielt eine geringere Rolle, als man denkt. Das gilt für das Leben wie für die Analyse. Die Patienten erzählen, was ihnen einfällt, und ich höre zu. Manchmal ist es auch umgekehrt: Ich erzähle, was mir einfällt, und die Patienten hören zu. Wir reden und schweigen und schweigen und reden und ganz nebenbei erforschen wir gemeinsam die Nachtseite der Seele.«

»Und wie stellen Sie das an?«

»Wir tasten uns mühselig durch die Dunkelheit, um wenigstens hie und da auf etwas Brauchbares zu stoßen.«

»Und dafür müssen sich die Leute hinlegen?«

»Es ginge auch im Stehen, aber im Liegen ist es gemütlicher.«

»Ich verstehe«, sagte Franz. »Das erinnert mich irgendwie an früher. Manchmal hab ich mich im Sommer mitten in der Nacht aus der Hütte geschlichen, um mit ein paar Freunden in den Wald zu gehen. Jeder hat eine Kerze dabeigehabt, und die Bäume haben geflackert wie riesige Geister. Eine Weile sind wir dann so im Dunkeln herumgestolpert, aber was wirklich Interessantes haben wir eigentlich nie getroffen. Manchmal ist einer auf eine Nacktschnecke getreten. Aber das war es dann auch schon, und wir sind wieder nach Hause gegangen.«

»Ja, so war das«, fügte er nach einer kurzen Pause hinzu. »Das waren noch andere Zeiten, damals hat man sich nur vor Bäumen gefürchtet. Aber was begegnet Ihnen und Ihren Patienten denn so im Dunkeln, Herr Professor?«

»Im besten Falle Träume«, sagte Freud. Er legte den verbliebenen Zigarrenstumpen neben sich auf der Armlehne ab und sah zu, wie er ein letztes Mal aufglomm, bevor er endgültig erlosch. Vorsichtig nahm er die kleine Leiche und warf sie in den eben noch vom Parkwächter durchstocherten Mistkübel.

»Aber was ist denn jetzt mit mir?«, rief Franz aus. »Ich kann doch nicht bis an mein Lebensende in irgendwelchen Dunkelheiten herumstolpern und auf Nacktschnecken oder Träume treten! Sie haben ja gut reden, Sie haben die Libido längst überwunden, aber ich muss mich noch damit herumschlagen! Meine Hose platzt bald, und ich weiß nicht mehr weiter. Ich weiß nicht, ob ich Anezka wiedersehen soll. Ich weiß nicht, ob ich sie wiedersehen *will*. Ich weiß nicht einmal, ob ich sie wiedersehen *kann*. Ich weiß es nicht, ich weiß es nicht, ich weiß es nicht!«

Wieder war er aufgesprungen und hatte mehrmals die Strecke zwischen dem Rosenbeet und der Bank durchmessen. »Herrschaftszeitennocheinmal, was soll ich denn bloß machen?«, fragte er schließlich mit ermatteter Stimme und ließ sich wieder zurück auf die Bank fallen. »Helfen Sie mir doch, Herr Professor!«

Freud hob seine Hände, betrachtete sie einen Augenblick im Sonnenlicht und ließ sie wieder in seinen Schoß sinken.

»Ich glaube, ich kann dir da nicht helfen«, sagte er. »Die richtige Frau zu finden ist eine der schwierigsten Aufgaben in unserer Zivilisation. Und jeder von uns muss sie vollkommen alleine bewältigen. Wir kommen alleine zur Welt, und wir sterben alleine. Doch gegenüber der Einsamkeit, die wir empfinden, wenn wir zum ersten Mal vor einer schönen Frau stehen, wirken Geburt und Tod geradezu wie gesellschaftliche Großereignisse. In den entscheidenden Dingen sind wir von Anfang an auf uns selbst gestellt. Wir müssen uns immer wieder fragen, was wir möchten und wohin wir wollen. Anders gesagt: Du musst deinen eigenen Kopf bemühen. Und wenn dir der keine Antworten gibt, frag dein Herz!«

»Von meinem Kopf ist nicht viel zu erwarten«, murmelte Franz. »Und mein Herz liegt zerschlagen in einem Haus in der Rotensterngasse.«

»Es wird dir nichts anderes übrigbleiben. Wenn du weiterhin den Ratschlag alter Männer einholst, bekommst du auch weiterhin keine befriedigenden Antworten. Und wenn du den Inhalt deiner Hose befragst, wird die Antwort zwar eindeutig sein, aber zu nichts als Verwirrungen führen!«

»Hm«, meinte Franz und legte eine Hand an seine Stirn, um das wilde Durcheinander seiner Gedanken dahinter ein wenig einzudämmen. »Könnte es vielleicht sein, dass Ihre Couchmethode nichts anderes macht, als die Leute von ihren ausgelatschten, aber gemütlichen Wegen abzudrängeln, um sie auf einen völlig unbekannten Steinacker zu schicken, wo sie sich mühselig ihren Weg suchen müssen, von dem sie nicht die geringste Ahnung haben, wie er aussieht, wie weit er geht und ob er überhaupt zu irgendeinem Ziel führt?«

Freud hob die Augenbrauen und öffnete langsam den Mund.

»Könnte das sein?«, wiederholte Franz. Freud schluckte.

»Warum sehen Sie mich denn so komisch an, Herr Professor?«

»Wie sehe ich dich denn an?«

»Ich weiß nicht. Als ob ich etwas unglaublich Blödsinniges gesagt hätte.«

»Nein, das hast du nicht. Das hast du ganz und gar nicht.«

Freud versuchte ein Lächeln, strich sich dann zerstreut mit den Fingern durch die Haare, nahm seinen Hut vom Knie, setzte ihn auf den Kopf und erhob sich von der Bank. »Ich glaube, für heute haben wir genug geredet. Bald geht die Sonne unter. Und wer kann schon sagen, ob sie jemals wieder aufgeht.«

Mit erstaunlich schnellen Schritten, zu denen sein Gehstock den Takt in den Kies schlug, ging der Professor in Richtung Ringstraße zurück. Eine Weile blieb Franz noch sitzen. Erst als der graue Hut endgültig hinter der Hecke verschwunden war, sprang er auf und rannte hinterher.

In der Berggasse verabschiedeten sie sich mit einem kurzen Händedruck. Freuds Finger fühlten sich trocken und leicht an. Wie Fischgräten, dachte Franz, wie die Gräten der vom Wurm befallenen Karpfen, die statt auf den Tellern der Wirtshausgäste bei den Katzen gelandet waren und deren Gerippe einem in den Händen zerbröselte, wenn man sie nach ein paar Wochen unter den havarierten Fischerbooten hervorzog.

Nachdem der Professor im Haus verschwunden war, legte Franz sein Ohr an die Tür und schloss die Augen.

Das Holz war immer noch sonnenwarm, und drinnen verhallten Freuds Schritte im Stiegenhaus. Als er die Augen wieder öffnete und von der Tür zurücktrat, tat er die ersten Schritte noch ein bisschen zögerlich und vorsichtig. Aber bald schon marschierte er entschieden los, und zwar um die Ecke in das kleine Wirtshaus in der Türkengasse. Auf ein Gulasch und ein Seidel Bier.

Am Abend darauf saß der Rote Egon in seiner Souterrainwohnung in der Schwarzspanierstraße und lauschte, tief über sein Radio gebeugt, der Stimme Kurt Schuschniggs, aus der alle Widerstandskraft gewichen war. Es war die letzte Rede des Kanzlers an das Volk, das schon längst nicht mehr seines war. Von Hitlers massiven Gewaltandrohungen gezwungen, sagte er die Volksabstimmung für ein freies Österreich ab und gab seinen Rücktritt bekannt. Um bei der nun schon fast sicheren Grenzüberquerung der deutschen Truppen kein Blutbad zu provozieren, hatte er das Bundesheer angewiesen, keine Gegenwehr zu leisten. Er schloss die Ansprache mit den Worten: »So nehme ich denn in dieser Stunde Abschied vom österreichischen Volke mit einem Gruß, der tief aus meinem Herzen kommt: Gott schütze Österreich!« Kaum hatte er seine Rede beendet, ging auf den Straßen ein haltloses Gebrüll los. »Ein Volk! Ein Reich! Ein Führer!«, »Juda verrecke!« oder einfach nur unartikuliertes Schreien, Singen und Heulen. Der Rote Egon schaltete das Radio aus. Durch das staubtrübe Fensterchen, das direkt auf den Gehsteig hinausging, sah er die Beine der aufgescheuchten Wiener und Wienerinnen vorbeihasten, laufen, rennen. Er stand auf und trat zu seinem Kleiderkasten hinüber. Für einen Moment betrachtete er seine hagere Gestalt im Spiegelbild der angedunkelten Glastür, zupfte seinen Krawattenknopf zurecht und zog mit ein bisschen Spucke auf der Zeigefingerspitze seine linke Augenbraue nach. Dann öffnete er den Kasten, holte eine zu einem dicken Ballen zusammengerollte Stoffbahn sowie einen Hammer und ein paar Nägel heraus und verließ seine Wohnung, ohne abzuschließen. Im Stiegenhaus begegneten ihm die beiden Buben des Straßenbahnerehepaars aus dem zweiten Stock. Ihre kurzen Hosen schlackerten über den Knien, während sie mit spitzen Schreien auf die Straße hinausstürzten. Ein wenig außer Atem stieg der Rote Egon bis in den letzten Stock hinauf, gelangte über eine niedrige Tür auf den Dachboden, wo er mit der Fußspitze an einen leblosen Taubenkörper stieß. Er unterdrückte ein kleines Ekelgefühl und kletterte über eine Holzleiter durch eine Luke aufs Dach. Eine staubige Windböe schlug ihm ins Gesicht, und für einen Moment musste er die Augen schließen. Der Straßenlärm wogte gedämpft herauf, die einzelnen Stimmen von zehntausenden Wiener Bürgern vereinigten sich zu einem beständig an- und abschwellenden Ton, einer Art sirenenhaftem Heulen, unter dem die Stadt zu vibrieren schien. Vorsichtig ging er über die leichte Schräge bis ganz nach vorne an den Dachrand und setzte sich. Mit wenigen Hammerschlägen befestigte er ein Ende der Stoffbahn am geteerten Dachbelag, anschließend ließ er die Rolle einfach über die Regenrinne gleiten und hörte zufrieden, wie unter ihm die fünf Meter Stoff gegen die Hauswand und gegen das Dachgeschossfenster der unlängst verstorbenen Frau Hinterberger klatschten. Er steckte den Hammer und die restlichen Nägel sorgfältig in die Innentasche seines Sakkos, rutschte noch ein bisschen weiter nach vorne, schob seine Beine über die Dachkante und ließ sie über dem Gebrause der Schwarzspanierstraße baumeln. Aus einem offenen Fenster auf der gegenüberliegenden Straßenseite drang der Duft von gebratenem Fleisch. Auf einem Schornstein hockten zwei Tauben. Hin und wieder richtete sich eine von ihnen auf und trippelte kurz im Kreis, während ihr Gefieder vom Wind zu einem luftigen Federnbausch aufgerichtet wurde. Der Rote Egon holte ein zerknittertes Päckchen Filterlose aus seiner Hosentasche, nahm eine heraus, legte sie sich auf die offene Handfläche und betrachtete sie eine Weile. Dann steckte er sie in den Mund und zündete sie an. Er inhalierte tief und mit geschlossenen Augen. Als nach genau sieben Zügen die Dachluke aufflog und drei Männer und eine Frau mit Hakenkreuzbinden, kurzen Totschlägern und mit vor Mordlust verzerrten Gesichtern aufs Dach gekrochen kamen, drehte er sich nicht einmal um. Er verlagerte sein Gewicht nach vorne, schnippte die Filterlose in die Tiefe und stürzte ihr hinterher.

»Hast du das gelesen?«, fragte Otto Trsnjek düster und schwenkte die Morgenausgabe der *Reichspost* über seinem Kopf. Franz schüttelte den Kopf. Er war in den vergangenen Tagen kaum zum Zeitunglesen gekommen, beziehungsweise hatte sich nicht sonderlich darum bemüht. Die Geschehnisse der letzten Zeit schwirrten wie ein

Schwarm aufgeschreckter Fliegen in seinem Kopf herum, und kaum hatte er eine Zeitung aufgeschlagen, begannen sich die Buchstaben vom Papier abzuheben und in einem unverständlichen Durcheinander aufzulösen.

»Dann setz dich hin und höre zu!«, befahl der Trafikant. Franz unterbrach seine Arbeit, die darin bestand, die Zeitungen des Vortages aus den Regalen zu räumen und sie durch die aktuellen, nach frischer Druckerschwärze duftenden, zu ersetzen. Schnell stopfte er die Ausgabe des *Bauernbündler*, der wie fast alle Zeitungen in diesen Tagen einen beeindruckend abfotografierten Adolf Hitler auf dem Titelblatt trug, in die passende Stellage und ließ sich auf seinem Hocker nieder. Der Trafikant breitete die *Reichspost* vor sich aus und fing an zu lesen: »Feiger Anschlag vereitelt! Wie erst gestern bekannt wurde, konnte durch das mutige Eingreifen einiger Wiener und Wienerinnen ein hinterhältiger Anschlag auf die neue Geistesfreiheit unseres Reiches vereitelt werden ...«

»Ha!«, rief Otto Trsnjek aus und schlug mit der flachen Hand auf die Verkaufstheke. »Hast du gehört: ›Neue Geistesfreiheit!‹« Noch einmal holte er aus, um seine Hand aufs Pult sausen zu lassen, beherrschte sich aber im letzten Moment und fuhr mit heiserer Stimme fort: »Der in gewissen Kreisen als ›Roter Egon‹ bekannte und berüchtigte Bolschewist und Arbeitslose Hubert Panstingl gelangte in den Abendstunden auf das Dach des von ihm bewohnten Mietshauses in der Schwarzspanierstraße. Dort konnte er ungestört zur Umsetzung seines Plans schreiten. Er entrollte ein offenbar eigenhändig hergestelltes

Transparent, das mit seinen hier nicht wiederzugebenden Schmierereien auf verabscheuungswürdige Weise unser Reich, unser Volk und unsere hoffnungsfrohe Heimatstadt verunglimpfen sollte.«

Otto Trsnjek packte die Zeitung, hüpfte mit überraschender Behändigkeit hinter der Theke hervor, beugte sich zu Franz hinunter und brüllte ihm ins Gesicht: »Was bitteschön, soll denn an einer Heimatstadt, die ein derartig verlogenes und obendrein ungeschickt hingesudeltes Gestammel einer deutschtümeligen Drecksjournaille herausbringt, noch hoffnungsfroh sein!?«

Franz versuchte sich so klein wie möglich zu machen. »Hör dir an, wie es weitergeht!«, rief der Trafikant: »Nur dem Mut einiger schnell herangeeilten Hausbewohner und Passanten war es zu verdanken, dass es dem gefährlichen Sonderling nicht gelang, seine Attacke gegen das Wiener Bürgertum länger als nötig vorzutragen. Im vollen Bewusstsein der großen Gefahr, der sie sich aussetzten, bestiegen die Männer und Frauen das Dach, traten vor den verwirrten Attentäter und ersuchten ihn um die sofortige Aushändigung des besagten Transparents. Der feige Kommunist Panstingl dachte jedoch gar nicht daran, von seinem Vorhaben abzulassen, baute sich stattdessen herausfordernd vor den einfachen Leuten auf und bedrohte sie. Ob dabei auch eine Waffe im Spiel war, konnte bis Redaktionsschluss nicht geklärt werden, ist aber nach Aussagen der Betroffenen mit ziemlicher Sicherheit anzunehmen.«

»Ha!«, schrie Otto Trsnjek jetzt wieder auf. »Eine Waffe! Der Rote Egon hat sich doch die Butter lieber mit den Fingern aufs Brot geschmiert, als ein Messer anzu-rühren!« Mittlerweile war sein Gesicht schweißnass und dunkelrot angelaufen. Mit dem ausgefaserten Ärmel seiner Wollweste wischte er sich über die Stirn und fuhr fort: »Bei seinem brutalen Angriffsversuch scheint der Täter jedoch das Gleichgewicht verloren zu haben und stürzte über die Dachkante in die Tiefe. Glücklicherweise wurde beim Aufprall auf das Trottoir niemand verletzt. Der Täter ist tot, und das schändliche Transparent konnte geborgen und vernichtet werden!«

Der Trafikant stand leicht wankend da und starrte für einen Moment auf die Zeitung in seinen Händen. Plötz-lich lief ein Schauder durch seinen Körper. Mit raschen Bewegungen zerriss er die Blätter in immer kleinere Fetzen, die um ihn herum langsam zu Boden trudelten. Als er fertig war, ließ er langsam die Hände sinken. Seine Weste war verrutscht und hing ihm schief von den Schultern. Unter den leichten Bewegungen seines Bei-nes knarrte leise der Schuh.

»Weißt du, was auf dem Transparent geschrieben war?«, flüsterte er. Franz schüttelte stumm den Kopf. »DIE FREIHEIT EINES VOLKES BRAUCHT DIE FREIHEIT SEINER HER-ZEN. ES LEBE DIE FREIHEIT! ES LEBE UNSER VOLK! ES LEBE ÖSTERREICH!«

Otto Trsnjeks Schuh hatte aufgehört zu knarren, er stand jetzt still. Doch schon im nächsten Augenblick löste er sich aus der Erstarrung, hüpfte mit kleinen Sprüngen hinter die Verkaufstheke zurück und setzte sich. Franz sah, wie er sich zurücklehnte und wie sein Gesicht lang-sam im Schatten hinter der Lampe verschwand.

Auch in dieser Nacht war das Einschlafen mühselig. Wie immer in letzter Zeit. Seit seiner Ankunft in Wien hatte Franz trotz seiner allabendlich wiederkehrenden Erschöpfung Schwierigkeiten, den lieben Schlaf zu finden, der ihn in seinem Bett am See stets so selbstverständlich umfangen und davongetragen hatte. Nun lag er also wieder da, auf dem Rücken, mit hinter dem Kopf verschränkten Händen und offenen Augen, und horchte in die Dunkelheit hinein. Draußen hatte sich das mittlerweile schon zur Gewohnheit gewordene Tagesheulen in das ebenfalls schon gewohnte Nachtwimmern verwandelt, das beständig durch die Straßen zu ziehen schien und selbst bis zu ihm ins Trafikantenkämmerchen wehte. Hin und wieder gluckerte es in den Mauern. Und vom Verkaufsraum drang manchmal ein leises Rascheln herein. Mäuse vielleicht, dachte Franz, oder Ratten. Oder die Geschehnisse des letzten Tages, die, bereits zu ihrer eigenen Erinnerung geworden, aus den Zeitungen herausraschelten. Eigentlich ist es ja schon merkwürdig, dachte er weiter, wie die Zeitungen ihre ganzen Wahrheiten in großen, dicken Lettern herausposaunen, nur um sie dann gleich in der nächsten Ausgabe wieder kleinzuschreiben, respektive über den Haufen zu werfen. Die Wahrheit der Morgenausgabe ist praktisch die Lüge der Abendausgabe, dachte er, was allerdings wiederum für die Erinnerung keine allzu große Rolle spielt. Erinnert wird nämlich meistens sowieso nicht die Wahrheit, sondern nur das, was laut genug herausgebrüllt oder eben fett genug abgedruckt wird. Und wenn so ein Erinnerungsrascheln irgendwann lang genug angedauert hat, dachte er schließlich, wird daraus

Geschichte. Er strampelte sich die Decke vom Körper und streckte die Arme weit von sich. Aus der Matratze heraus hörte er sein Herz schlagen, dunkel und leise stampfend wie ein Schiffsmotor. Schön klingt das, dachte er, während er zusah, wie sich sein Körper langsam vom Bett löste. Es fühlte sich gut an, war jedoch nur ein kurzer Flug. Jemand rief ihm etwas hinterher, und unten in der Tiefe schnauften die Dampfer über den See. Die Fische zeigten ihre Bäuche, und auf den Wellen schaukelte sanft ein schwarzer Hut. Das Fähnchen am Horizont war wirklich nicht mehr zu übersehen. »Entschuldigen Sie, aber Ihre Mutter winkt!«

Sein Herz pochte Franz wieder aus dem Schlaf, ein gleichmäßig lauter werdendes Pumpern. Inzwischen hatte er sich selbst einigermaßen erfolgreich dazu erzogen, seine Träume aufzuschreiben. Nacht für Nacht tastete er nach seinen Zündhölzern und kritzelte im flackernden Kerzenlicht einige verworrene Worte auf eines der karierten Schreibblätter, die er unter dem Bett deponiert hatte. Es war mühsam und zu Beginn brachte es nichts. Eigentlich tat er das nur dem Professor zuliebe und weil er insgeheim ein schlechtes Gewissen hatte, wenn er es nicht machte. Andererseits hatte sich gerade in den letzten Tagen doch auch eine gewisse Gewöhnung eingestellt. Oder eine Art Genugtuung über die eigene Überwindungsfähigkeit. Oder vielleicht sogar etwas wie ein kleines Erleichterungs- und Befriedigungsgefühl. So genau konnte Franz das nicht sagen, aber im Grunde genommen war ihm das auch egal. Er schrieb jetzt eben seine Träume auf und konnte danach – und das war immerhin der lohnenswerte

Nebeneffekt des ganzen Aufwands – die nächsten Stunden friedlich, weil traumlos, schlafen.

Ein Flug über den Attersee, schrieb Franz mit seiner dahinkrakelnden Kinderschrift, *jemand schreit mir hinterher, die Dampfer sind schön, die Fische nicht. Der Professor hat anscheinend seinen Hut verloren, und von irgendwo weit weg winkt die Mutter herüber.* Er legte Zettel und Bleistift unters Bett und blies die Kerze aus. Für ein paar Augenblicke flackerte es hinter seinen Lidern noch nach. Aha, dachte er, offenbar gibt es also nicht nur ein Erinnerungsrascheln, sondern auch ein Erinnerungsflackern. Er musste ein bisschen kichern. Seit er das Salzkammergut verlassen hatte, quetschte er Gedanken aus sich heraus, von denen er nie angenommen hätte, dass sie in ihm stecken könnten. Das meiste davon war wahrscheinlich ein unglaublicher Blödsinn. Aber irgendwie interessant. Er drehte sich zur Seite, schloss die Augen und spürte seinem eigenen Davontreiben hinterher.

Fast genau drei Sekunden später saß er aufrecht im Bett und hielt den Atem an. Ein Lärm hatte ihn in die Wirklichkeit zurückgerüttelt, ein Krachen und Splittern, das die Nacht zu zerreißen schien. Dann wieder Stille. Franz sprang auf und rannte in den Verkaufsraum hinaus. Vor ihm, im fahlen Frühmorgenlicht, herrschte ein unglaubliches Chaos. Die Auslage war eingeschlagen, die Tür hing schief in ihren Angeln, von den Rahmen ragten lange Splitter in den Raum. Der Boden war übersät von Glasstückchen, zwei umgekippte Zeitungsständer lagen quer übereinander, überall verstreut waren Zeitungen, Zigarrenkisten, Tabakschachteln, offene Bleistiftdosen und einzelne Zigaretten. Draußen auf dem Gehsteig bauschten sich lose Zeitungsseiten und wanderten zur anderen Straßenseite hinüber wie leise raschelnde Geister. Franz tat einen zögerlichen Schritt. Unter seinen ledernen Hausschuhen, die ihm der Trafikant vor einiger Zeit gegen acht unbezahlte Überstunden überlassen hatte, knirschte das Glas. Vom Türrahmen tropfte eine zähe Flüssigkeit und sammelte sich am Boden zu einem glänzenden Fleck. Und dann sah er dieses Etwas auf der Verkaufstheke. Ein schwarzes Ding, ein dunkler Körper, ein nasser Haufen, der sich über die Theke ausbreitete. Für einen Moment schien es ihm, als ob es atmete, sich ganz langsam hob und senkte und wieder hob. Ein unangenehmer Geruch ging davon aus, ranzig, süß, aber auch ein bisschen säuerlich. Es war der Geruch von altem Fleisch, von Blut und Scheiße. Vorsichtig beugte er sich näher heran. Die Atembewegungen waren natürlich Einbildung gewesen. Auf der Theke lagen die Innereien eines oder mehrerer großer Tiere. Labbrige Gewebefetzen, glänzende Fettbrocken und das pralle, von einem Netz feiner Adern durchzogene Darmgekröse. Als Franz einen Schritt zurücktrat, knackste etwas unter seinem Fuß. Zwischen den Glasstücken lag ein abgeschlagener Hühnerkopf und blickte mit bläulichen, toten Augen zu ihm herauf.

Als Otto Trsnjek um sechs Uhr morgens pünktlich zur Ladenöffnung kam, sagte er kein Wort. Schweigend betrachtete er die Angelegenheit: den über den Eingang schief hingeschmierten Schriftzug HIER KAUFT DER JUD!, den kübelweise ausgekippten Dreck, die Scherben, das

Blut, die Hühnerköpfe, den stinkenden Gedärmehaufen auf der Verkaufstheke und seinen Lehrling Franz, der zusammengesunken auf dem Hocker in der fensterlosen Auslage saß und aufs Pflaster hinausstarrte. Lange stand er einfach nur so da, unbeweglich und stumm. Schließlich öffnete er den Mund, um etwas zu sagen, aber mehr als ein kleiner Ton, kaum lauter als das Platzen eines Spuckebläschens, kam dabei nicht heraus. Also machte er sich an die Arbeit.

Zusammen fegten sie das Glas vom Boden, stopften die Innereien und die Hühnerköpfe in große Leinensäcke, die sich schnell mit Blut vollsogen. Sie schrubbten den Gehsteig, die Wände, die Dielen und Regale und packten die schmutzigen, aufgeweichten, zerbrochenen oder zerbröselten Zigarren und Zigaretten in einen Karton und deponierten den Haufen neben einem Mülltonnengrüppchen im Hinterhof. Anschließend zogen sie vorsichtig die letzten Splitter aus dem Auslagenrahmen, hängten die Tür aus, klopften die Scharniere gerade, hängten die Tür wieder ein und schrubbten noch einmal mit Essig und einem rosaroten, giftig riechenden Pulver über Dielen, Regale und Theke. Als sie nach ein paar Stunden mit dem Putzen fertig waren, stemmte der Trafikant die Krücken nebeneinander in den Boden, legte seinen Beinstumpf sorgfältig auf den Griffen ab und atmete tief durch. »Zum Glasermeister gehen wir später«, sagte er dann, »jetzt holst du uns erst einmal zwei Bier!«

Sie tranken das Bier aus der Flasche, schweigend, langsam und mit kleinen Schlucken, der Trafikant auf seinem

Platz hinter der Theke, Franz auf seinem Hocker. Es war ein steirisches Bier, dunkel und herb. Mittlerweile war es Nachmittag geworden, auf der Straße hasteten die Passanten vorbei, nur wenige beachteten die Trafik, kaum jemand hielt an, um einen Blick durch die scheibenlose Auslage ins Innere zu werfen. Einmal blieb ein ausgemergelter Hund stehen und schnüffelte am Eingang herum, wurde aber schnell von seinem Herrchen an die Leine genommen und weggezerrt. Auf der anderen Straßenseite ging eilig Frau Dr. Dr. Heinzl vorüber. Sie schien sehr auf ihren Weg konzentriert, hatte jedenfalls keinen Blick für die Trafik. Ein ältlicher Polizist steckte seinen Kopf zur Tür herein, sah sich kurz um, hob wortlos seine Hand zum Gruß an die Mütze und verschwand wieder. Irgendwo hinterm Wienerwald begann die Sonne unterzugehen, die Biere waren ausgetrunken, und Otto Trsnjek fing an, sich ein paar Worte zurechtzuräuspern. »Interessant«, sagte er, »dass man an einem ganzen Tag so wenig reden kann!«

In diesem Augenblick hielt ein altmodischer, dunkler Wagen vor dem Eingang, und drei Männer in grauen Anzügen stiegen aus. Unnötigerweise klopfte einer von ihnen an den offenen Türrahmen, ein etwas verhärmt aussehender Mann mit gelblichem Beamtengesicht: »Herr Trsnjek?«

»Wir schließen gleich«, sagte der Trafikant.

Der Mann verzog seinen Mund zu einem schiefen Lächeln. Sein rechtes Ohr leuchtete rosig im Abendlicht. »Das kann schon sein«, sagte er, »aber erst dann, wenn wir es Ihnen sagen!«

»Schleichts euch, ihr Sauhund'!«, zischte Otto Trsnjek leise, und es klang, als wolle er den drei Herren ihre Hüte vom Kopf spucken. Der Verhärmte verharrte eine Sekunde, nickte darauf seinen Kollegen zu und trat einen Schritt zur Seite. Einer der Männer nahm die Tür, der andere trat direkt durch die Auslage hinein. Ohne erkennbare Ausholbewegung schlug er Franz seine Faust gegen das linke Ohr. Noch während Franz vom Hocker rutschte, spürte er, wie das warme Blut aus seiner Ohrmuschel schoss. Durch das Rauschen hindurch hörte er die Schreie des Trafikanten und das Reißen seiner Wollweste, als sie ihn packten und über die Theke auf den Boden zerrten. »Otto Trsnjek, ich verhafte Sie, wegen Besitz und Verbreitung pornografischer Druckerzeugnisse!«, rief der Verhärmte. Für einen Moment war es still. Obwohl der Trafikant mit gesenktem Kopf auf dem Boden kniete, glaubte Franz, an seiner Stirn einen dunklen Fleck zu erkennen.

»Wo hast denn die Wichsheftln versteckt?«, fragte der Verhärmte. Otto Trsnjek ließ seinen Kopf noch tiefer sinken. Einer der Männer trat ihn wuchtig gegen die Rippen. Mit einem grunzenden Geräusch kippte er zur Seite, legte seine Hände schützend vors Gesicht und zog sein Bein so eng wie möglich an den Körper. Auf ein Nicken seines Vorgesetzten ging der dritte Mann hinter die Theke, riss die Schublade auf, zog den schmalen Stoß »Zärtlicher Magazine« heraus und hielt ihn mit einem triumphierenden Grinsen in die Höhe.

»So einen Schund verkaufst du den Juden?«

Otto Trsnjek ruckte mit seinem Kopf und öffnete den Mund zu einem kaum hörbaren »Ja!«

»Seit wann geht das schon so?«

»Weiß nicht.«

Der Verhärmte nickte, und sein Kollege trat zu. Ein harter Tritt mit der Schuhspitze in die Nierengegend. Otto Trsnjek stöhnte dumpf und krümmte sich noch enger zusammen. Franz schloss die Augen. Das Rauschen in seinem Ohr war leiser geworden, der Schmerz fast verflogen. Plötzlich musste er an die Würmer denken, die er als Bub nach andauernden Regenfällen aus der saftigen Erde gezogen hatte und die sich in seiner Handfläche immer so blind und sinnlos gewunden hatten. Komisch fühlten sich diese Würmer an, glitschig, prall und kühl, und wenn man sie mit einer Nähnadel piekste, kringelten sie sich ganz klein zusammen und aus der Einstichstelle quoll ein dunkles Tröpfchen heraus.

»Also, noch einmal: Seit wann verkaufst du deine Drecksheftln an die Juden?«

»Immer schon …«, flüsterte der Trafikant.

»Mein lieber Herr Zeitungstandler, so etwas tut man doch nicht«, sagte der Verhärmte mit einem tadelnden Kopfschütteln. Er bückte sich, packte Otto Trsnjeks Kopf an den Haaren und hob ihn langsam vom Boden.

»Aber das stimmt doch gar nicht!« In der Ecke hatte sich Franz aufgerappelt und stand nun auf wackeligen Beinen da »Die Heftln gehören mir! Die hab ich mir gekauft! Alle miteinander! Weil ich mir so was eben manchmal gerne anschau!«

»Halt deine Goschn, Franz!«, zischte der Trafikant. »Du weißt ja überhaupt nicht, was du da redest!«

»Mit Verlaub, das weiß ich sehr wohl! Und außerdem:

Die Wahrheit ist die Wahrheit und aus! Und wenn einer einen Blödsinn gemacht hat, muss er auch dafür einstehen können! Da werden Sie mir recht geben müssen, Herr Polizist, oder?«

Der Verhärmte ließ Otto Trsnjeks Kopf fallen wie einen faulen Apfel. Er richtete sich auf und starrte Franz an.

»Das Beste wird also sein, Sie nehmen mich gleich mit aufs Revier oder auf die Wachstube oder sonst irgendwohin. Die Heftln sind schließlich meine Heftln, ich hab sie gekauft und gelesen, ich hab mir die Bilder angeschaut, und ich hab sie in der Lade versteckt. Und wenn das alles ein Verbrechen sein soll, dann will ich, bitteschön, auch dafür geradestehen!«

»Halt deine blöde Goschn, du Trottel!«, presste der Trafikant hervor.

»Aber wieso denn?«, sagte der Verhärmte freundlich. »Soll er doch ein bisserl reden, der Burschi! Wie heißt er denn überhaupt?«

»Mit Verlaub, ich bin kein Burschi, und heißen tu ich Franz Huchel!«

Der Verhärmte verschränkte seine Hände auf dem Rücken und bewegte sich mit zwei, drei schleichenden Schritten auf Franz zu. »Ach so? Na dann sagen S' halt, was Sie zu sagen haben, Herr Huchel!«

»Franzl ...« Der Trafikant hatte erneut seinen Kopf gehoben. Die Schmerzen verzerrten ihm das Gesicht, und sein Blick irrte ein paar Sekunden lang zwischen den Zigarrenkisten in den Regalen herum, ehe er Franz fand. »Du bist mein Lehrbub ... und obendrein ein Trottel. Und deswegen machst du jetzt genau das, was ich dir

sage: Setz dich wieder hin und halt deinen blöden Mund!«
Jetzt erst sah Franz die dünne Blutspur, die ihm übers
Kinn lief, ein zartes Rinnsal, kaum breiter als ein Faden.
Und auf einmal sah er auch die Verzweiflung in seinen
Augen. Wie ein Schleier, dachte Franz, wie ein hauch-
zarter, dunkler Schleier. Und in diesem Moment war ihm
alles klar. Für den Bruchteil einer Sekunde öffnete sich
ein Fenster in die Zukunft, durch das die weiße Angst zu
ihm hereinwehte, zu ihm, diesem kleinen, dummen,
machtlosen Buben aus dem Salzkammergut. Mit einem
unterdrückten Schluchzen ließ er sich auf die Knie fallen,
umfasste mit beiden Armen den Nacken des Trafikanten
und drückte seinen Körper an sich. »Lass mich, Franzl!«,
flüsterte Otto Trsnjek heiser in Franz' Haare hinein »Bitte,
lass mich!«

Nachdem sie den Trafikanten auf den Rücksitz verfrach-
tet hatten und der Wagen nach mehreren Startversuchen
mit knallenden Fehlzündungen die Währingerstraße hin-
aufgefahren und in die Boltzmanngasse eingebogen war,
blieb Franz noch eine Weile vor der Trafik stehen. Es hatte
leicht zu nieseln angefangen, ein warmer Frühlingssprüh-
regen, unter dem das Straßenpflaster zu duften begann.
Irgendwo, weit hinter irgendwelchen Dächern, war jetzt
bestimmt ein Regenbogen zu sehen. Der Trafikant hatte
nicht mehr geschrien und nichts mehr gesagt, wider-
standslos hatte er sich abführen lassen und war, gestützt
von den grauen Männern, zum Wagen gehüpft. Franz war
noch einmal zurückgelaufen, um die Krücken zu holen,
doch als er damit wieder herauskam, waren sie schon

abgefahren. Nun lehnten sie wie zwei alte Stecken neben dem Eingang, nutzlos und schief. An den Scheiben der Fleischerei Roßhuber lief das Regenwasser in dünnen Bächen hinab. Dahinter säbelte die Silhouette des Fleischermeisters an einer Hinterhaxe herum. Den Abtransport des Trafikanten hatte er an seiner Eingangstür mit vor der Blutschürze verschränkten Armen und einem gekräuselten Lächeln beobachtet. Als der Wagen endgültig verschwunden war, hatte er mit einem kurz hervorgestoßenen Lachen seinen Kopf geschüttelt und war wieder hineingegangen. Franz stand immer noch da und rührte sich nicht. Das wäre es ja vielleicht, dachte er, einfach so stehen bleiben und sich nicht mehr bewegen. Dann würde die Zeit an einem vorbeitreiben, und man müsste nicht mehr mitschwimmen oder dagegen anstrampeln. Passanten eilten blicklos vorüber. Irgendwo plärrte ein Kind. Von den Beeten um die Votivkirche trillerten die Amseln herüber. Auf einem Fenstersims über dem Installationsbüro Veithammer flatterten für einen Moment zwei Tauben auf, ehe sie sich wieder in ihre Fensterecke zurückdrängten. Eine Windböe wehte Franz einen Sprühschleier ins Gesicht. Eigentlich angenehm, dachte er, schloss die Augen und wünschte sich, sie nie wieder zu öffnen. Da hörte er, wie ihn jemand von hinten mit dünner Stimme anhüstelte: »Interessiert sich hier noch irgendjemand für die Kundschaft, oder muss man sich vielleicht selbst bedienen?« Es war der Juristikar Kollerer. In seinen dicken Brillengläsern konnte Franz sich doppelt gespiegelt sehen, mit den beiden im dunstigen Nieselregen verschwommenen Votivkirchenspitzen im Hintergrund.

»Die Trafik hat selbstverständlich geöffnet, Herr Juristikar!«, sagte Franz. »Wie immer für Sie den *Wienerwaldboten*, den *Bauernbündler* und einen *Langen Heinrich*?«

Beim Glasermeister Staufinger bestellte Franz neue Scheiben, die dieser auch prompt lieferte und passgenau einsetzte. Zum ersten Mal seit vielen Jahren fiel mehr als nur schummriges Dämmerlicht in die Trafik. Die Straßenhelligkeit drang in jeden Winkel und ließ die Farben auf den Deckeln der Zigarrenkisten in neuer Frische und ungewohnter Buntheit erstrahlen. Allerdings waren jetzt auch die Spinnweben und die bräunlichen Feuchtigkeitsflecken an der Decke zu sehen. Franz kaufte einen Kübel weißer Farbe, lieh sich von der Installateursgattin Frau Veithammer eine Leiter, eine Malerschürze und einen großen Rosshaarpinsel und begann die Decke zu streichen. Als er damit fertig war, strich er die Wände und die Stuhlleisten, danach die Regale, die Schreibwarenvitrine, den Kleinwarenkasten, das Pfeifenzubehörschränkchen, die Verkaufsthekenbeine und schließlich den Tür- und den Auslagenrahmen. Mit dem letzten bisschen Farbe besserte er die kleinen Lackabsplitterungen an den Schubladengriffknöpfen aus und tupfte schließlich einen winzigen weißen Punkt an den Eingangstürknauf, einfach so, weil es ihm Spaß machte und irgendwie schön und freundlich und künstlerisch aussah. Hinter einem Stapel mit Liebesromanheftchen für die gepflegte Frau fand er Otto Trsnjeks fein gerahmte, etwas angestaubte Lesebrille. Er reinigte sie mit ein bisschen Spucke und seinem Hemdsärmel, wickelte sie in Zeitungspapier und verstaute sie sorgfältig unter der Theke. Er füllte die Tinte auf, tauchte die Füllfederspitzen in ein Wasserbad, spitzte die Bleistifte und glättete die Eselsohren im Buchhaltungs- ordner. An der Eingangstür stellte er sich auf die Zehen- spitzen und putzte und rieb und ribbelte solange an den Glöckchen herum, bis sie glänzten wie Christbaum- schmuck. Auf ein Stück Papppapier malte er in dicken, roten Lettern die Worte: SEHR VEREHRTE KUNDEN, DIE TABAKTRAFIK TRSNJEK BLEIBT GEÖFFNET — TRETEN SIE EIN, SIE WERDEN BEDIENT! und klebte das Schild in Augen- höhe von innen an die Tür. Er ging zur Frau Veithammer hinüber, um ihr die Leiter, den Pinsel, die Schürze sowie eine schnell gerupfte, leuchtendgelbe Votivkirchenbeet- blume zu bringen, wusch sich hernach die Farbe von den Händen und den Staub aus den Haaren und ließ sich schlussendlich müde und nach Kernseife duftend in Otto Trsnjeks Sessel sinken. Ein paar Augenblicke saß er so da und hörte dem ledrigen Knarren unter seinem Hintern zu, dann holte er ein schönes, großes, kariertes Blatt Papier aus der Schublade und begann zu schreiben:

Liebe Mama,

das ist mein erster Brief an Dich. Und eigentlich nicht nur an Dich, es ist überhaupt mein erster. Was ich Dir näm- lich alles schreiben will, passt gar nicht auf eine einzige Karte. Wobei ich im Moment schon wieder gar nicht mehr weiß, was genau ich eigentlich habe erzählen wollen. Und das ist jetzt wiederum typisch. In letzter Zeit funktioniert mein Kopf nicht mehr so, wie er soll. Als ob ihn jemand zwischen seine großen Hände genommen und ordentlich

durchgeschüttelt hätte, so fühlt sich das an. Deswegen also
erst einmal der Reihe nach und in aller Ruhe und von
vorne: Bei uns in Wien ist es sehr schön. Nach dem lan-
gen Winter kommt der Frühling aus allen Löchern und
Ritzen hervorgekrochen. Überall blüht irgendetwas. Die
Parks sehen fast schon aus wie auf den Ansichtskarten,
und aus jedem liegengebliebenen Pferdeapfel sprießt ein
Maiglöckerl. Die Leute sind ganz verrückt, rennen herum
wie kopflose Hendln und kennen sich nicht aus. Wenn
Du mich fragst, liegt das nicht nur am Frühling, sondern
vor allem an der Politik. Es sind komische Zeiten gerade.
Oder vielleicht waren die Zeiten immer schon komisch,
und ich habe es nur nicht bemerkt. Bis vor Kurzem war
ich ja noch ein Kind. Und jetzt bin ich noch kein Mann.
Darin liegt die ganze Misere. Und damit sind wir auch
schon beim nächsten Thema angelangt: mit dem Mädel-
chen (ich habe Dir ja geschrieben!) ist es erst einmal oder
endgültig doch nichts geworden. Frag nicht warum, es ist
halt so. Vielleicht ist die Liebe nichts für mich. Vielleicht
bin ich nichts für die Liebe. Ich weiß es nicht. Weißt Du es
vielleicht? Weißt Du, ob ich zur Liebe tauge? Weißt Du,
was die Liebe ist? Weißt Du überhaupt irgendetwas über
die Liebe? Ehrlich gesagt, fühlt es sich ziemlich komisch
an, die eigene Mutter solche Sachen zu fragen. Irgendwie
genierlich. Aber auf die Entfernung geht es. Jedenfalls bin
ich gespannt, was Du sagst. Übrigens und apropos Entfer-
nung: Du musst mir unbedingt vom See schreiben. Die
Karten sind zwar schön, aber Bilder sind eben nur Bilder
und können schwindeln. Genauso wie diese überschmink-
ten Titelblattgesichter in der Trafik. Die schauen Dich an,

dass Du glaubst, sie meinen Dich ganz persönlich, und in Wirklichkeit schauen sie nur in eine Kamera hinein und denken an ein saftiges Rindsgulasch und kriegen jede Menge Geld dafür. Na ja, Du siehst: Mit der Kopfdurch-schüttelung habe ich nicht übertrieben. Wenn der Brief einen roten Faden gehabt hätte, dann wäre er spätestens jetzt verlorengegangen oder zumindest ausgefranst. Des-wegen also lieber schnell zur nächsten Thematik. Der Professor und ich sind inzwischen Freunde. (Und das kannst Du mir ruhig glauben!) Obwohl wir beide ja fast ständig arbeiten, verbringen wir möglichst viel Zeit mitein-ander. Wir sitzen auf der Bank, gehen in den Park und reden allerhand. Er raucht. Ich nicht. Ich frage ihn dies und das. Und er fragt mich dieses und jenes. Zwar wissen wir beide oft keine Antworten, aber das ist egal. Unter Freunden darf man auch einmal nichts wissen. Der Alters-unterschied macht uns übrigens nichts aus. Da können die Leute schauen und sich das Maul zerreißen, wie sie wol-len – uns ist das egal. Obwohl der Professor andererseits natürlich wirklich sehr alt ist. Manchmal, wenn ich ihn mir so anschaue, glaube ich, dass er aus irgendwelchen längst vergangenen Zeiten zu uns herübergewachsen ist. So wie der alte Zwetschgenbaum, der sich hinter der Hütte so krumm und schief zum Ufer hinunterbeugt. Dass er ein Jud ist, stört mich überhaupt nicht. Wenn es mir der Otto Trsnjek nicht erzählt hätte, hätte ich es wahrscheinlich gar nicht bemerkt. Ich weiß sowieso gar nicht, warum die Leute alle derart draufhauen auf die Juden. Auf mich wir-ken sie eigentlich ganz anständig. Die Wahrheit aber ist: Ich mache mir schon ein bisschen Sorgen. Um den Profes-

*sor und überhaupt. Wie gesagt: komische Zeiten. Und
jetzt geht es auch schon zu einer weiteren, leider ziemlich
unangenehmen Angelegenheit: Der Otto Trsnjek ist nämlich krank geworden. Nicht schlimm, aber immerhin. Die
Leber vielleicht, oder die Nieren, oder irgendeine andere
Innerei. Wenn Du mich fragst, ist es wegen dem ungesun-
den Essen. In Wien ist ja das Essen fast noch fetter als bei
uns. Und mit nur einem Bein kann man auch keine großen Sprünge machen, sportlich gesehen, meine ich. Jedenfalls bleibt er erst einmal ein paar Tage zuhause, und es
muss abgewartet werden. Ich werde ihm in Deinem Namen eine gute Besserung wünschen, wenn es recht ist?
Liebe Mama, oft bin ich traurig und weiß warum. Oft bin
ich aber auch traurig und weiß nicht warum, und das ist
fast noch schlimmer. Manchmal wünsche ich mich selbst an
den See zurück. Natürlich weiß ich, dass das nicht mehr
so einfach geht. Ich habe schon zu viel gesehen und gerochen und geschmeckt. Ich weiß noch nicht wohin, aber es
wird weitergehen. Und deswegen höre ich jetzt auf mit der
Raunzerei. Ich trage nämlich wegen Otto Trsnjeks Abwesenheit ab sofort die vorübergehende Verantwortung
eines geschäftsführenden Trafikanten und muss dementsprechend nach vorne schauen. Wenn Du möchtest, liebe
Mama, sei stolz auf mich!
Dein Franz*

Das Geschäft blieb zwar nicht ganz aus, doch es lief
schlecht. Die jüdischen Kunden waren fast allesamt verschwunden. Vielleicht hatten sie wegen der Vorkommnisse der letzten Zeit die Trafik gewechselt, wie sich Franz

dachte, oder sie hockten in ihren Wohnungen, hielten still und hatten das Lesen und das Rauchen vorübergehend eingestellt. Nur der alte Herr Löwenstein kam wie eh und je und besorgte sich seine ein oder zwei Schachteln *Gloriette*. Die schlechten Ohren, die noch schlechteren Augen und überhaupt die ganze sich langsam in seinem Körper ausbreitende Altersschwächlichkeit, machten ihn unempfänglich gegen die sich in der Stadt ausbreitenden und für das Volk Moses' doch insgesamt eher unlustigen Vorgänge, wie er einmal erzählte und hernach leise kichernd zur Tür hinausdatterte.

Aber auch die nichtjüdischen Kunden machten sich rar. Vermutlich weil sie abwarteten, wie sich alles entwickeln würde, die Situation insgesamt und insbesondere die der Trafik, die ja angeblich »Zärtliche Magazine« an Juden verkauft hatte und jetzt von irgend so einem komischen Waldbauernbuben geführt wurde. Denn abwarten war ja bekanntlich sowieso immer die beste und vielleicht sogar die einzige Möglichkeit, die verschiedenen Schwierigkeiten der Zeit unbeschadet an sich vorbeiströmen zu lassen.

Die wenigen Leute, die noch kamen, hatten sich verändert. Viele trugen nun braune Hemden, manche hatten Hakenkreuzbinden oder zumindest kleine Hakenkreuzanstecker am Kragen, und die meisten schienen öfter zum Friseur zu gehen als früher. Außerdem hatten sie ein seltsames Leuchten in den Augen. Ein irgendwie zuversichtliches oder hoffnungsfrohes oder beseeltes, im Grunde genommen aber auch ein eher dümmliches Leuchten war das, ganz genau konnte Franz das nicht auseinanderhalten, jedenfalls leuchteten sie und sprachen mit lauter, klarer Stimme. Der gedämpfte Plauderton der Bestell- und Verkaufsgespräche, der sich immer so gut in die Schummrigkeit der Trafik eingefügt hatte, war einem forschen und klangvoll scheppernden Ausdruck gewichen. Es hörte sich an, als ob die Kunden erst jetzt wirklich wussten, was sie wollten, beziehungsweise immer schon gesucht hatten. Immer mehr Leute grüßten mit »Heil Hitler!« und reckten dabei ihren Arm in die Höhe. Franz, dem das ein bisschen übertrieben vorkam, gewöhnte sich an, darauf mit einem unverbindlichen: »Danke, Ihnen auch!« zu antworten.

Mit dem Zeitungslesen hatte er beinah gänzlich aufgehört, die Zeitungen waren sowieso fast ausschließlich mit denselben, immer wiederkehrenden Inhalten gefüllt. Hatte man den *Wienerwaldboten* gelesen, kannte man auch den *Bauernbündler*, hatte man die *Reichspost* durch, konnte man sich das *Volksblatt* gleich sparen und so weiter. Es war, als ob die Redaktionen sich jeden Tag zu einer einzigen, riesigen Konferenz versammelten, um zur Wahrung einer scheinbaren Objektivität wenigstens die Überschriften untereinander abzustimmen und hie und da ein paar Textunterschiedlichkeiten in die ansonsten völlig gleichlautenden Artikel einzubauen. Meistens ging es um Adolf Hitler. In kürzester Zeit hatte sich der kleine Oberösterreicher in die Köpfe seiner Landsleute hineingesetzt und würde daraus sicher so schnell nicht wieder verschwinden. Alle waren sie ganz vernarrt und blöd nach diesem zackigen Mann mit dem Rauhaarbärtchen. Dabei war Heinzi eindeutig der bessere Hitler, dachte Franz, ein zumindest auf die ersten Blicke viel bemerkenswerterer Reichskanzler, einer mit weitaus mehr Zackigkeit und weitaus größerer Strahlkraft. Franz dachte oft an Monsieur de Caballé mit dem Messer in der Hose. Aber noch viel öfter dachte er an Anezka. Manchmal schrieb er ihren Namen auf ein Blatt Papier, einfach so, in Großschrift und mit Otto Trsnjeks teuerster Tinte. Oder, wenn gerade kein Papier zur Hand war, mit kleiner Schrift auf den Rand einer alten Zeitung. In einer stillen Stunde nach Ladenschluss fing er damit an, ihren Namen auf seine linke Handfläche zu schreiben, einmal, zweimal, noch einmal und immer so weiter. Er schrieb ihn auf jedes einzelne Fingerglied, auf Kuppen, Kanten und Knöchel, kritzelte ihn winzigklein auf die Gelenksfältchen und noch ein bisschen kleiner unter die Nagelränder. Nachdem auf der Hand kein freier Fleck mehr übrig war, krempelte er seinen Ärmel hoch und schrieb auf dem Arm weiter: Anezka auf dem Handgelenk, Anezka zwischen Adern und Härchen auf dem Unterarm, Anezka auf dem Ellbogen, auf dem Oberarm und in großen, wild geschwungenen Buchstaben um die Schulter herum.

An einem strahlenden Montagmorgen im April betrat der seit vierunddreißig Jahren für den Abschnitt Alsergrund/Rossau zuständige, stark übergewichtige und eben deswegen auch ziemlich kurzatmige Briefträger Heribert Pfründner die Trafik, wartete wie immer ab, bis die Glöckchen ausgeklingelt hatten, nuschelte dann ein leicht verraunztes »Heilitler!« vor sich hin, schmiss gemeinsam mit ein paar Prospekten, dem monatlich erscheinenden

Bezirksblatt und einer Einladung zur feierlichen Eröffnung des Ersten Ottakringer Turnerbundheimes einen eierschalengelben Umschlag auf die Verkaufstheke, tippte zum Abschied mit zwei Fingern an seine schweißnasse Schläfe und keuchte wieder hinaus. Franz sperrte die Trafik zu, verzog sich in sein Kämmerchen, setzte sich an den Bettrand und betrachtete den Umschlag, der im rechten oberen Eck eine Briefmarke zu Ehren des stolzen österreichischen Heerführers Radetzky und links daneben den zart hingestrichenen Namenszug der Mutter trug. Er öffnete ihn mit vor Ungeduld zittrigen Fingern und begann zu lesen:

Mein lieber Franzl,
recht herzlichen Dank für Deinen Brief. Du hast so schön geschrieben, und ich habe mich sehr gefreut. Bei uns ist es warm. Der Schafberg schaut freundlich, und der See ist silbrig oder blau oder grün, wie er gerade will. Drüben haben sie große Hakenkreuzfahnen ins Ufer gepflanzt. Die spiegeln sich im Wasser und sehen ganz akkurat aus. Überhaupt sind alle auf einmal ganz akkurat und rennen mit wichtigen Gesichtern herum. Stell Dir vor, sogar im Wirtshaus und in der Schule hängt jetzt der Hitler. Direkt neben dem Jesus. Dabei weiß man doch gar nicht, was die beiden voneinander halten. Leider ist das schöne Auto vom Preininger beschlagnahmt worden. So nennt man das heute, wenn Sachen verschwinden und irgendwo anders wieder auftauchen. Wobei: Sehr weit ist das Auto nicht gekommen. Der Herr Bürgermeister fährt nämlich jetzt damit durch die Gegend. Seitdem der Herr Bürgermeister

ein Nazi geworden ist, geht ihm vieles leichter von der Hand. Überhaupt wollen auf einmal alle Nazis sein. Sogar der Förster rennt mit einer leuchtendroten Armbinde im Wald herum und wundert sich, dass er nichts mehr schießt. Apropos: Erinnerst Du Dich an unseren Ausflugsdampfer Hannes? Den haben sie neu gestrichen und umgetauft. Jetzt glänzt er wie ein gelutschtes Zuckerl und heißt »Heimkehr«. Allerdings ist ihm gleich bei der ersten Fahrt unterm neuen Namen der Dieselmotor explodiert, und man hat die Leute mit den alten Ruderbooten ans Ufer bringen müssen. Ach Franzl, mein lieber Bub, wo soll das alles hingehen? Der Preininger ist tot, und Du bist so weit weg. Manchmal lieg ich im Bett und heul in die Polster hinein, weil niemand mehr da ist, auf den ich aufpassen kann. Und niemand, der auf mich aufpasst. Doch es passieren auch schöne Sachen: Stell Dir vor, ich hab eine Arbeit gefunden! Der Goldene Leopold hat seit Neuestem nämlich ein paar Gästezimmer, da mach ich dreimal in der Woche sauber. Der Verdienst ist bescheiden, aber manchmal kriegt man ein Trinkgeld. Einmal hat mich der Wirt abgepasst und auf ein Gästebett geschmissen. Da hab ich ihm gesagt, dass ich mit dem Obersturmbannführer Graleitner aus Linz befreundet bin und dass dem so etwas sicher nicht gefallen wird können. Da hat der Wirt einen Schrecken bekommen und irgendetwas von einem blöden Missverständnis zusammengestottert. Seitdem lässt er mich in Ruhe. Wenn der wüsste, dass ich den Obersturmbannführer Graleitner nur erfunden habe!

Dass der Otto Trsnjek krank geworden ist, tut mir sehr leid. Ich hoffe, es geht ihm bald besser. Bitte schicke ihm

meine herzlichsten Genesungswünsche! Hinter der granti-
gen Trafikantenhaut steckt nämlich eine zarte Menschen-
seele. Glaube ich zumindest. Es ist ja bestimmt nicht
leicht, ein Bein im Schützengraben liegen zu lassen. Vor
allem, wenn man sich fragt: für wen denn eigentlich? Da
ist es kein Wunder, wenn auch die Seele ein bisschen
wackelig daherkommt, oder?
Ehrlich gesagt, weiß ich nicht genau, was ich von Deiner
Bekanntschaft mit dem Herrn Professor Freud halten soll.
So ganz recht ist es mir nicht. Früher hab ich Dir den
Umgang mit den anderen Buben ja noch verbieten kön-
nen, wenn mir einer nicht gepasst hat. Die Zeiten sind
vorbei. Du bist jetzt alt genug und wirst schon wissen, was
Du machst. Aber bitte bedenke: Auch wenn die Juden
noch so anständig sind, was nützt ihnen das, wenn sich
um sie herum die ganze Anständigkeit schon längst verab-
schiedet hat?
Mein lieber Franzl, dass es mit dem Mädelchen einstwei-
len oder für immer nichts geworden ist, tut mir natürlich
leid. Insbesondere, weil ja bekannt ist, wie gut die Böh-
minnen kochen. Andererseits: Wer weiß, für was das gut
war! Manchmal muss man das eine gehen lassen, damit
das andere kommen kann. Du fragst mich, ob ich irgend-
etwas über die Liebe weiß. Die Wahrheit ist: Ich weiß
nichts darüber. Obwohl ich sie kennengelernt habe. Keiner
weiß etwas über die Liebe. Und doch haben sie die aller-
meisten schon erlebt. Die Liebe kommt und geht, und
man kennt sich vorher nicht aus, und man kennt sich
nachher nicht aus, und am allerwenigsten kennt man sich
aus, wenn sie da ist. Und deswegen lass Dir eines sagen:

Niemand taugt für die Liebe, und trotzdem oder gerade deswegen erwischt sie fast jeden von uns irgendwann einmal!

Es bricht mir das Herz, wenn ich höre, dass Du manchmal traurig bist. Was soll ich Dir da sagen? Es gibt so viele Sorten Traurigkeit, wie es Lebensstunden gibt. Und wahrscheinlich noch ein paar mehr. Da ist es egal, ob Du weißt, woher diese oder jene Traurigkeit kommt. Das gehört zu unserem Leben. Wenn Du mich fragst, sind sogar die Tiere traurig. Und vielleicht auch die Bäume. Nur die Steine nicht. Die liegen einfach nur so herum und machen nichts. Aber wer will das schon?

Mein lieber Franzl, isst Du denn auch genug? Du warst immer so dünn! Man hat Dich gar nicht mehr gesehen, wenn Du in den See gesprungen bist. Dünn und glatt und weiß, wie ein junger Saibling im Frühling. Ich weiß, das dürfte ich Dir gar nicht erzählen: Manchmal gehe ich an die Kiste mit Deinen Sachen. Dann ziehe ich einen von Deinen alten Pullovern heraus, halt ihn mir ans Gesicht und riech daran. Ich glaube, mit den Jahren werden die Leute immer komischer. Ich hab schon graue Haare, aber wenigstens ist der Hintern noch einigermaßen fest. Der Wirt ist mir zu blöd und zu ungustiös, aber seit ein paar Tagen hat einer von den neuen Fremdenführern ein Aug auf mich geworfen. Er ist ein fescher Kerl mit Schnurrbart und großen Händen. Wir werden sehen, was draus wird. Jetzt muss ich aufhören und ins Wirtshaus hinüber gehen. Ein paar Uniformierte aus München haben sich einquartiert, die machen viel Lärm und noch mehr Dreckwäsche. Ich hätte Dir so gern ein Blech mit Erdäpfelstrudel ge-

schickt, aber bei der Post heutzutage weiß man ja nicht
so recht. Mein lieber, lieber Bub, ich hab Dich immer in
meinem Herzen!
Deine Mutter

Franz betastete mit den Fingerspitzen das fein geriffelte Briefpapier. Eine merkwürdige Empfindung stieg wie eine dicke Luftblase in seinem Inneren auf, blubberte an der Wirbelsäule entlang und schlüpfte durch den Nacken in den Hinterkopf, wo sie noch eine Weile weich und angenehm herumwaberte. *Deine Mutter* hatte sie geschrieben, und nicht *Deine Mama*, wie auf den Ansichtskarten oder wie früher immer, wenn sie auf dem Küchentisch eine hingekritzelte Nachricht hinterlassen hatte. Kinder haben Mamas, Männer haben Mütter. Er faltete den Brief zusammen und steckte seine Nase hinein. Er roch nach modrigen Stegplanken und trockenem Sommerschilf, nach verkohlten Rindenstückchen, zerlassenem Butterschmalz und der mehlbestäubten Küchenschürze seiner Mutter.

In dieser Nacht träumte Franz von seinem seligen Vater, einem Waldarbeiter aus Bad Goisern, den er nie kennengelernt hatte, da er nur wenige Tage vor seiner Geburt von einer morschen Stieleiche erschlagen worden war, und der angeblich zu Lebzeiten kaum mehr gesprochen hatte als im Tode. Im Traum gingen sie zwischen stillen Feldern einen Weg entlang. Franz war noch klein und hatte Staub in den Haaren. Hoch über ihnen glühte die Sonne, und der Vater verschmolz mit seinem eigenen

Schatten. Sie kamen zum großen Amt und betraten die marmorglänzende Eingangshalle. In der Mitte saß ein dicker Mann und stempelte in rasender Geschwindigkeit seine Schreibtischunterlage ab. Schnell reihte sich eine Menschenschlange vor ihm auf, jeder wollte einen Stempel, doch der Dicke hörte nicht auf das Bitten und Flehen. Immer wieder ließ er den Stempel auf seine Unterlage hinuntersausen. Die Schläge hallten wie Kanonenschüsse durch den Raum, während ein goldenes Horn laut und scheppernd große Zeiten ankündigte. Der Vater nahm Franz an der Hand und versuchte sich in die Menschenschlange zu drängeln. Er hatte Angst, seine Hand war trocken und rau wie ein Stück Holz. Verzeihung, sagte er immer wieder, mehr zu sich selbst als zu den Leuten, Verzeihung, Verzeihung, Verzeihung. Genau!, sagte der dicke Postbeamte triumphierend, und stieß dem Vater seinen Stempel auf die Stirn: ZUKUNFT stand drauf, und zwischen den Buchstaben lief in dünnen Spuren das Blut hinunter. Franz erwachte schweißüberströmt und mit einem seltsamen Flimmern hinterm Herzen. Noch während des halbbetäubten Heraustrudelns aus dem Schlaf schrieb er seinen Traum auf ein Blatt Papier:

Ein Spaziergang mit dem Vater, die Sonne brennt,
und wir gehen ins große Amt, wo ein dicker Mann
herumstempelt, der Vater drängelt und entschuldigt sich
dafür, das goldene Horn plärrt, und der Dicke stempelt
dem Vater das Wort ZUKUNFT mitsamt einer
Platzwunde aufs Hirn.

Den ganzen Vormittag hatte er den Zettel vor sich auf der Verkaufstheke liegen und bemühte sich, nicht beständig darauf zu starren. Dieser dicke Mann war doch irgendwie armselig, dachte er bei sich, trotz seiner insgesamt recht imposanten Erscheinung. Armselig und auch ein bisschen einsam in seiner eingebildeten Großartigkeit, und noch dazu gefangen im Traum eines ihm völlig unbekannten Trafikantenlehrlings. Man müsste in die Köpfe der Leute hineinschauen können, dachte er, aber nur während des Schlafes. Tagsüber wollte man ja eigentlich gar nicht wissen, was vorgeht in den Leuten, außerdem war von so einem durchschnittlichen Kopfinhalt ohnehin nicht übermäßig viel zu erwarten. In der Nacht aber, dachte er weiter, in den stillen, dunklen Stunden, sähe die Sache schon anders aus. Da stünde einem die eigene Vorsicht nicht mehr im Weg, und alle Ängste, Begehrlichkeiten, und Spinnereien könnten ungehemmt durchs Hirn geistern. Franz hätte gerne mit jemandem über seine Träume gesprochen, am liebsten mit Anezka, zur Not auch mit dem Professor oder mit Otto Trsnjek oder wenigstens mit irgendeinem Kunden. Aber bis nach Mittag betraten nur zwei Menschen die Trafik: Frau Veithammer, die sich die neue Ausgabe der *Illustrierten Wochenpost* holte und sich bei der Gelegenheit gleich über ihren unlängst verstorbenen Gatten beschwerte, der nicht einmal im Grab etwas Gescheites zusammenbrächte, da die Blumen über ihm schon zu verwelken begännen, bevor sie überhaupt richtig zu blühen begonnen hätten, sowie ein kleines Mädchen, das nach einem mittelweichen Bleistift fragte und mit seinen winzigen Fingern die Groschen einzeln in Franz' Hand hineinzählte. Von beiden war natürlich in Bezug auf Trauminhalte nichts Erhellendes oder sonst irgendwie Brauchbares zu erwarten. Aber vielleicht, dachte Franz, kommt es ja gar nicht drauf an, sich über Träume und deren möglichen Sinn oder wahrscheinlichen Unsinn auszutauschen, vielleicht geht es einzig und alleine darum, die Träume vollkommen erwartungslos mitzuteilen, sie praktisch wie im Lichtspielhaus einfach vom Kopfinneren auf die leere Leinwand der Außenwelt zu projizieren und damit im zufällig vorbeikommenden oder absichtsvoll herantretenden Betrachter irgendetwas zu wecken, mit ein bisschen Glück sogar etwas von Belang, Bedeutung oder Dauerhaftigkeit. Er atmete schwer aus und ließ sich in den Sessel zurücksinken. Das Herumtappen in derartig fremden und dunklen Gedankengängen erschöpfte ihn. Sein Blick fiel durch die Auslage auf die gegenüberliegende Häuserreihe. Eines der Fenster war fast vollständig mit Grünpflanzen zugewachsen, in der Schummrigkeit dahinter bewegte sich das weiße Unterhemd eines hin- und hergehenden Mannes. Franz seufzte. Er musste an den Wald denken, an das beruhigende Rauschen der Bäume und an das Vogelgezwitscher, das trotz seiner lärmenden Allgegenwärtigkeit die Waldesruhe niemals zu stören schien. An der Auslagenscheibe klebte in Blickhöhe ein grünlicher Vogelscheißebatzen. Stadtvögel zwitschern nicht, sondern schreien, dachte er missmutig. Außerdem scheißen sie einem auf den Hut und auf die Auslage und legen sich zum Sterben in irgendeine Dachbodennische, wo sie nichts weiter hinterlassen als ihre verstaubten Gerippe, ein paar Federn und ein bisschen

Gestank. Er seufzte noch einmal, tiefer sogar noch als beim ersten Mal, und fast gleichzeitig mit dem Seufzer kam ihm eine Idee: Er holte etwas Klebeband aus der Schublade, nahm den Zettel mit seinem Traum, schrieb ins rechte obere Eck das Datum, ging damit auf die Straße hinaus und klebte ihn direkt über den Scheißebatzen an die Scheibe. Er trat einen Schritt zurück und betrachtete das kleine Traumplakat. Dann schloss er die Augen und atmete tief die frühlingshafte Wienerluft ein. Für einen winzigen Moment flackerte das Wort ZUKUNFT rosig und hell wie eine Prater-Leuchtschrift hinter seinen Lidern auf. Da knatterte auf der Straße hinter ihm ein mit Eisblöcken beladener Lieferwagen der Vereinigten Wiener Eisfabriken vorbei, und er ging in die Trafik zurück.

Die ersten Menschen, die der aufgeklebten Absonderlichkeit an der Auslage der Trsnjek-Trafik nähere Beachtung schenkten, waren drei Rentnerinnen, die ihre runzligen, wie aus Wurzelholz geschnitzten Gesichter so nah wie möglich an den Zettel heranreckten. Franz, der reglos im Schatten der Verkaufstheke saß, beobachtete, wie sie die Augen zukniffen, bis diese beinahe gänzlich in ihren Faltennestern verschwanden, und wie sich ihre welken Lippen im stummen Chor bewegten, um die Worte zu entziffern. Keine der drei schien auch nur das Geringste zu verstehen. Eine Weile standen sie mit offenen, zahnlosen Mündern da, dann trippelten sie davon. Als Nächstes blieben zwei Mädchen in hellen Mänteln vor der Auslage stehen. Nachdem sie den Zettel gelesen hatten, legten sie ihre Hände wie kleine Dächer über die Augen, lehnten ihre Köpfe gegen die Scheibe und schauten in den Verkaufsraum hinein. Als sie Franz sahen, liefen sie kichernd davon. Noch während er zusah, wie sich ihre beiden Atemhauchflecken an der Scheibe auflösten, kam schon der nächste Passant heran: ein Arbeiter mit ölverschmiertem Gesicht und einer schiefen Selbstgedrehten im Mundwinkel. Mit gerunzelter Stirn überflog er die Worte, überlegte kurz, betrat dann die Trafik und baute sich vor der Verkaufstheke auf. Was denn das solle, wollte er wissen, die Sache mit der komischen Schmiererei auf dem Zettel da draußen.

Gar nichts, sagte Franz, zumindest nichts Besonderes.

Das könne er sich nicht so richtig vorstellen, meinte der Arbeiter, weil irgendein völlig unbedeutendes Geschreibsel klebe man ja nicht einfach so an die Auslagenscheibe, nur weil einem fad oder langweilig oder beides auf einmal sei.

Das möge zwar sein, sagte Franz, aber was für den einen bedeutsam sei, das sei für den anderen vielleicht eher uninteressant bis nutzlos.

Der Arbeiter starrte auf seine Schuhspitzen und ließ seine Selbstgedrehte nachdenklich in den anderen Mundwinkel hinüberwandern. Ob ihn der junge Trafikant für einen Trottel halte, fragte er leise, einen, der selber nicht entscheiden könne, was für ihn nutzlos oder bedeutsam sei.

Das sei natürlich überhaupt nicht so gemeint gewesen, antwortete Franz wahrheitsgemäß, die Trotteln säßen heutzutage anderswo.

Wo denn, wollte der Arbeiter wissen.

Eigentlich überall, meinte Franz, nur nicht hier in der Trafik.

Der Arbeiter nickte. Da könne der junge Herr Trafikant vielleicht recht haben, meinte er, trotzdem wolle er jetzt endlich wissen, was es, Herrgottsakrament, mit diesem Zettel auf sich habe.

Ein Traum, sagte Franz, nichts weiter als ein Traum.

Von der Selbstgedrehten löste sich ein Ascheflöckchen und trudelte langsam auf die Dielen hinunter.

Wenn das alles sei, meinte der Arbeiter enttäuscht, dann sei es tatsächlich eher nutzlos, zumindest was ihn persönlich betreffe.

Genau das habe er ja gesagt, antwortete Franz, allerdings werde sich eine eventuelle Nutzlosigkeit erst noch herausstellen. Denn vielleicht, fuhr er fort, vielleicht könne so ein wildfremder, an eine Auslage geklebter Traumzettel irgendwann doch bei einem zufällig vorbeikommenden Betrachter etwas bewirken oder bewegen, man wisse nie.

Ja, sagte der Arbeiter mit einem müden Seufzer, man wisse wirklich nie. Ob er aber jetzt erst einmal eine Packung Orient-Tabak, zwei Schachteln Zündhölzer und das *Sport-Blatt* mitnehmen könne?

Aber selbstverständlich könne er das, sagte Franz, dafür sei so eine Trafik schließlich da.

Von da an klebte Franz jeden Tag einen neuen Zettel neben die Tür. Jeden Morgen, schon vor der Ladenöffnungszeit, trat er im Schlafanzug und mit wirrer Bettfrisur auf die Straße hinaus und klebte einen frisch geträumten Traum an die nachtkühle Auslagenscheibe. Und das blieb nicht unbemerkt. Noch waren die Neugier und die Vergesslichkeit der Menschen stärker als ihre Angst, und die Trafik, die bis vor Kurzem »Zärtliche Magazine« an Juden und Kommunisten verkauft hatte, war jetzt eben die Trafik mit den merkwürdigen, kleinen Geschichten an der Scheibe. Wer vorbeikam und den Zettel entdeckte, der blieb auch stehen, um ihn zu lesen. Die meisten starrten kurz und ausdruckslos darauf und gingen dann weiter. Manche empörten sich wortlos, indem sie angewiderte Gesichter aufsetzten. Andere wiederum schüttelten die Köpfe und riefen ein paar Beschimpfungen gegen die Eingangstür. Hin und wieder jedoch konnte Franz beobachten, wie jemand beim Lesen ein wenig nachdenklich wurde und diese kleine Nachdenklichkeit still mit sich davontrug. Die Leute lasen zum Beispiel:

9. April 1938
Ein Lied wird gesungen, es geht um die Liebe, aber die Melodie eiert vor sich hin, jemand lacht und springt gleich danach von der Votivkirche, aber die Erde ist ja weich, und die Blumen blühen in allen Farben, niemand hat den toten Mann gesehen, und ein Kranich zieht ein Kreuz über den Himmel.

Oder:

12. April 1938
Ich stehe mit der Mutter am See, ein Dampfer kommt auf uns zu, ich habe Angst, aber die Mutter nimmt mich an der Hand: ES IST GUT, DU BIST JA MEIN KIND,

doch der Dampfer fährt einfach weiter, der See schwankt,
die Mutter ist weg, und der Dampfer kracht in das
Herz hinein.

Oder:

15. April 1938
Im Prater geht ein Mädchen, es steigt ins Riesenrad,
überall blitzen Hakenkreuze, das Mädchen steigt immer
höher, plötzlich brechen die Wurzeln, und das Riesenrad
rollt über die Stadt und walzt alles nieder, das Mädchen
juchzt, und sein Kleid ist leicht und weiß wie ein
Wolkenfetzen.

Den Zettel mit dem Wolkenfetzenkleid fand insbesondere Frau Dr. Dr. Heinzl bemerkenswert, die ihre Wege von der anderen Straßenseite wieder herüberverlegt hatte. Lange stand sie mit gekräuselter Stirn vor der Auslagenscheibe und las den Abschnitt mehrmals hintereinander. Irgendwie fühlte sie sich vielleicht an irgendwas erinnert, unmöglich zu sagen an was. Doch sehr unangenehm kann es nicht gewesen sein, denn als sie schließlich mit leicht gesenktem Kopf in Richtung Schwarzspanierstraße davonging, lachte sie aufs Straßenpflaster hinunter, ein kleines, helles Lachen, wie ein fallengelassenes Schmuckstück.

Eine Woche nach Otto Trsnjeks Abtransport hatte Franz zum ersten Mal versucht, mit dem Trafikanten Kontakt aufzunehmen, beziehungsweise überhaupt erst einmal seinen Aufenthaltsort in Erfahrung zu bringen. Auf der Polizeiwache Alsergrund waren die anwesenden Beamten zwar freundlich, hatten aber erstens keine Zeit und zweitens andere Sorgen. Auf der Polizeiwache »Innere Stadt« war der diensthabende Schalterbeamte zwar weit weniger freundlich, konnte jedoch immerhin auf die für solche Fälle zuständige, erst unlängst eingerichtete Dienststelle der Geheimen Staatspolizei verweisen. Also machte sich Franz auf den Weg zum Morzinplatz, wo sich die Gestapo im ehemaligen Hotel Metropol einquartiert hatte, einem pompösen Gebäude mit dicken Marmorsäulen am Eingangsbereich, vor dem nun drei hohe Hakenkreuzstandarten in der sanften Frühlingsluft klackerten. Hinter den Fenstern der oberen Stockwerke fand geschäftiges Treiben statt, Männer in Uniform oder Frauen in grauen Kostümen mit Aktenstößen in den Armen eilten hin und her oder hielten kurz an, wechselten ein paar Worte, nickten, lächelten und salutierten. Hin und wieder legte jemand seine Mütze auf dem Fensterbrett ab, rauchte in den Frühling hinaus und ließ seinen Blick in Richtung Kahlenberg schweifen. Nur die Fenster der untersten Etage waren dunkel und blind, verborgen hinter Gittern und schweren Rollläden aus Metall.

Franz betrat die Eingangshalle, wo ihm sofort ein Portier in blauer Uniform entgegenkam: »Kann man dem jungen Herrn vielleicht irgendwie behilflich sein?«

»Hoffentlich!«, sagte Franz und lauschte für einen Moment, wie seine Stimme in der Weite des Raumes verhallte. »Ich heiße nämlich Franz Huchel und bin auf der Suche nach einem unschuldigen, nichtsdestotrotz aber mitgenommenen oder verhafteten oder verschleppten Trafikanten namens Otto Trsnjek!«

»Unschuldig ist in diesem Haus erst einmal niemand«, sagte der Portier und verzog seinen Mund zu einem angestrengten Lächeln. »Zumindest niemand, der keine Uniform trägt. Hat denn der junge Herr schon eine schriftliche Eingabe gemacht?«

Franz schüttelte den Kopf. »Eigentlich wollte ich überhaupt nichts einreichen, sondern lediglich den Trafikanten Otto Trsnjek dahin zurückholen, wo er hingehört: in seine Trafik!«

»Ohne Eingabe keine Auskünfte«, sagte der Portier.

Franz blickte zur Decke, an der ein riesiger, mit unzähligen Glasteilchen bestückter Luster hing. Kurz kam es ihm vor, als hätte der Luster angefangen, sich zu bewegen und ganz langsam um seine eigene Achse zu drehen. Er senkte seinen Blick wieder. »Dann komme ich eben wieder!«, sagte er.

»Wie meinen?«, fragte der Portier.

»Dann komme ich eben wieder. Morgen. Übermorgen. Den Tag danach. Und so weiter. Jeden Tag zur gleichen Zeit, nämlich zu Mittag. Und zwar so lange, bis mir jemand sagt, wo sich der Otto Trsnjek befindet, wie es ihm geht und wann ich ihn nach Hause mitnehmen kann!«

Und das tat Franz auch. Jeden Tag um Punkt zwölf Uhr mittags sperrte er die Trafik ab, nahm einen kleinen Umweg über die Berggasse (wo er insgeheim hoffte, die gebeugte Silhouette des Professors hinter einem der Vorhänge im ersten Stock zu entdecken), ging danach über den Franz-Josefs-Kai zum ehemaligen Hotel Metropol hinüber, marschierte durch die hohe Eingangshalle, trat vor den Portier und sagte: »Grüß Gott, ich hätte gerne etwas über den Aufenthaltsort des Trafikanten Otto Trsnjek gewusst!«

In den ersten Tagen hatte der Portier sich noch bemüht, hatte unter Aufbringung seiner ganzen verbeamteten Geduldsfähigkeit versucht zu antworten und allerhand von amtlichen Eingaben, behördlichen Anträgen, vorgefertigten Formularen und vorschriftsmäßigen Dienstwegen erzählt. Doch da dieser impertinente Bursche zu alldem zwar immerzu freundlich nickte, sich ansonsten aber ziemlich ungerührt gab und sich, nachdem er ungefähr eine Viertelstunde stur wie ein Esel dagestanden war, höflich verabschiedete, nur um am nächsten Tag pünktlich um Viertel nach zwölf wieder dazustehen und nach diesem Trafikanten zu fragen, begann der mühselig über viele Dienstjahre ausgebildete Berufsgleichmut des Portiers zu bröckeln, bis er endgültig in sich zusammenbrach. Und als Franz an einem flirrenden Montagmittag erneut vor ihm stand und sagte: »Grüß Gott, ich hätte gerne etwas über den Aufenthaltsort des Trafikanten Otto Trsnjek gewusst!«, antwortete der Portier nur mehr mit einem kaum wahrnehmbaren Zucken seiner Schultern. Dann griff er zum Hörer des schwarzen Telefons, das hinter ihm an der Wand angebracht war, wählte eine zweistellige Nummer und murmelte ein paar unverständliche Worte hinein. Etwa zehn schweigsame Sekunden später flog neben dem Telefon eine Tapetentür auf, und ein Mann in einem beigefarbenen Leinenanzug kam heraus. Er schien zu lächeln, als er auf Franz zuging, doch bei genauerem Hinsehen war es nur ein Schatten unter seinem hellblonden, fast weißen Oberlippenbärtchen. Ein Schattenlächeln, dachte Franz noch, da war der Mann schon bei ihm, riss ihm den Kopf an den Haaren zurück, drehte ihm mit einem blitzschnellen Griff einen Arm auf den Rücken und schleifte ihn durch die Eingangshalle ins Freie.

Franz spürte das Pflaster unter seinen Fersen und die Hand des Mannes, die sich wie eine Holzklemme um seinen Unterarm spannte, er sah den leicht bewölkten Himmel über sich und die drei Hakenkreuzstandarten. Dann gab es einen Ruck, sein Arm war plötzlich frei, und im nächsten Moment knallte er mit dem Gesicht auf den Boden. Er taumelte in ein schwarzes Loch und hörte ein merkwürdiges Geräusch. Wie ein feuchtes Zweiglein in der Glut, dachte er noch, bevor er versank. Als er einige Augenblicke später wieder ins Licht zurücktauchte, blickte er direkt auf die Schuhe des Blonden. Es waren glänzend geputzte Halbschuhe, aus weichem Leder gearbeitet und aufwändig vernäht. Kein Riss, kein Fleck, kein Staubkorn, nur feines, glattes, makelloses Leder. Franz hob den Kopf und blickte in das Gesicht des Mannes. Von hier unten, im Gegenlicht des Mittagshimmels, sah das Bärtchen aus wie flimmernder Bast. Neben ihm tauchte der blau bemützte Kopf des Portiers auf.

»Besser wird vielleicht sein, der junge Herr kommt nicht mehr hierher. Es könnte nämlich sonst passieren …« Er machte eine Pause, in der er sich umständlich räusperte und ein paar unsichtbare Körnchen aus den Augen blinzelte, »sonst könnte es nämlich passieren, dass er länger im Hotel Metropol zu Gast bleibt, als es ihm angenehm ist. Hat der junge Herr das denn verstanden?« Franz nickte. Der Portier zog ein schneeweißes Taschentuch aus seiner Brusttasche. Er entfaltete es sorgfältig, hielt es gegen das Licht wie ein Sonnensegel und betastete mit der Spitze seines Ringfingers den fein gestickten Saum und die akkurat gebügelten Falten. Dann bückte er sich, drückte es Franz zwischen die Finger und sagte: »Wisch dir das Blut aus dem Gesicht, Burschi. Und geh nach Hause.«

Erst als die beiden wieder im Gebäude verschwunden waren, presste sich Franz das Taschentuch gegen den Mund. Sofort tränkte sich der Stoff mit hellem Blut. Die Zunge war geschwollen und lag heiß und fremd in der Mundhöhle. Einer der Schneidezähne wackelte. Franz fasste ihn vorsichtig mit den Fingerspitzen und zog daran. Mit einem kleinen Ruck gab er nach. Es war ein schöner, glatter Zahn. Nur die Wurzel war scharfkantig abgebrochen und blutig. Er würde ihn in die Schublade seines Nachtkästchens legen, dachte Franz, gleich neben die Karten und den Brief der Mutter und den kleinen Körper des aus der Nacht gefallenen Falters.

Drei Wochen später, am Morgen des 17. Mai 1938, kündigte sich der Sommer an. Ein angenehm laues Lüftchen trieb die Nachtkühle aus den Straßen und über die Donau weit in die Schwechater Ebenen hinaus. Überall in der Stadt gingen die Fenster auf, Decken und Polster wurden ausgeschüttelt, und Daunenfedern schwebten durch die Luft wie weiße Blüten. In der Früh standen vor den

Bäckern die Schichtarbeiter und die Hausfrauen Schlange, und es roch nach frischen Semmeln und Kaffee. Die ersten Straßenbahnen quietschten träge aus ihren Remisen, und da und dort dampften auf dem Pflaster die Pferdeäpfel der Milchhaflinger. Am Naschmarkt hatten die Standler längst schon ihre Waren ausgelegt, und am alten Stand des noch älteren Herrn Podgacék stritten sich die ersten Pensionistinnen um die größten Karfiolköpfe und die mehligsten Erdäpfel. Auf der Praterhauptallee trafen sich die Gewichtheber der Straßenbahner Sportvereinigung zum letzten Frischlufttraining vor dem großen Kampf gegen die Germania. Lustlos dehnten und streckten sie ihre Glieder und blickten gähnend über die Kastanienbäume hinweg, wo die Riesenradgondeln in der Morgensonne glänzten. Im Keller der Gestapo-Dienststelle, in der ehemaligen Wäscherei des Hotels Metropol, mussten sich fünfzehn jüdische Geschäftsleute nackt ausziehen und mit den Händen über dem Kopf auf die Abholung zum Einzelverhör warten. In der Mitte des Raums waren ihre Kleider zu einem Haufen zusammengeworfen, dessen Spitze eine Mütze bildete, kariert und zerknautscht wie die Mütze eines amerikanischen Stummfilmkomikers. Am Gleis II des Wiener Westbahnhofs saßen vierhundertzweiundfünfzig politische Gefangene zusammengedrängt in den hinteren Waggons eines Sonderzugs und warteten auf die Abfahrt nach Dachau. Am gegenüberliegenden Bahnsteig saßen eine alte Frau und ein kleiner Bub nebeneinander auf einer Bank und bissen abwechselnd von einem großen Butterbrot ab. Hoch über ihnen, unter dem Bahnhofsdach, purzelten ein paar Schwalben aus

einer dämmrigen Ecke, zischten ins Freie und verschwanden in Richtung Hütteldorf. Als das Pfeifsignal zur Abfahrt losschrillte und der Zug sich in Bewegung setzte,
hüpfte der Bub von der Bank und lief winkend und
lachend den Bahnsteig entlang. In diesem Augenblick geschah etwas Seltsames: Alle Gefangenen an den Fenstern
winkten zurück. Der Bub rannte bis zum Ende des Bahn-
steigs. Dann blieb er stehen und legte seine Hand über die
Augen. Noch von Weitem, als der Zug sich allmählich
im Gegenlicht der Morgensonne auflöste, sah er aus wie
ein riesiger, davonkriechender Wurm mit unzähligen
winkenden Gliedern.

Ungefähr um diese Zeit keuchte der Briefträger Heribert Pfründner mit seiner steinschweren Posttasche die
Berggasse hinauf. Er schwitzte stark, hatte Bauchweh
und immer noch den Geschmack des Frühstückskaffees
seiner Frau im Mund: schal, fad und zudem ein bisschen
bitter. So wie das ganze Briefträgerleben, dachte Heribert Pfründner missmutig, zumindest vor neun Uhr
morgens. Seit die Nazis sich auch in der Postzentrale ein-
genistet hatten, bekamen die Wiener ihre Briefe bereits
in aller Herrgottsfrühe, was zur Folge hatte, dass Heribert Pfründner wie die anderen Kollegen noch eine
Stunde früher aus den Federn kriechen musste und der
Kaffee ihm noch schaler, fader und bitterer im Magen
herumzuschwappen schien, als er das in den letzten drei-
unddreißig Dienstjahren sowieso schon getan hatte. Dabei könnte man jetzt auch an einem See oder Teich oder
wenigstens irgendeinem nicht übermäßig von Gelsen-
schwärmen verseuchten Wienerwaldtümpel sitzen, seine

geschwollenen Füße ins Wasser tauchen und an nichts denken, dachte er, oder zumindest am Donauufer liegen, das dritte Seidel Bier trinken und der Zeit zuschauen, wie sie träge an einem vorbeirinnt. Vor der Berggasse 19 lungerten wie immer seit einigen Wochen die beiden Zivilen herum, schiefe Gestalten mit zigarettengelben Gesichtern und schattigen Augen.

»Heilhitler!«, murmelte der Briefträger und nestelte mit seinen schweißigen Händen am Schlüsselbund herum, um das Tor aufzusperren und zu den Briefkästen zu gelangen. Auch diesmal hielten sie ihn auf. Immer hielten sie ihn auf. Immer wollten sie wissen, was sich denn in der Posttasche befände. Immer ließen sie sich vor allem die an Professor Sigmund Freud adressierten Briefe zeigen, hielten die Umschläge gegen das Licht, entzifferten die Absender und versuchten mit ihren zigarettengelben Fingern den Inhalt zu ertasten. Und immer behielten sie einen oder mehrere davon bei sich. Heute waren es zwei: ein großer, schwerer Umschlag, mit zerfließender Füllfederschrift an den »Höchstverehrten Herrn Professor Dr. Freud« adressiert, sowie ein hellblaues Briefchen mit leicht abgestoßenen Kanten. Wahrscheinlich aus England, dachte Heribert Pfründner, oder jedenfalls aus irgendeinem Land mit einem streng und doch irgendwie gütig dreinschauenden König auf den Briefmarken. Er sperrte auf, verteilte die Post schnell auf die Briefkästen und ging mit einem wortlosen Nicken. Längst waren die verdächtigen Briefe in den ausgebeulten Manteltaschen der Zivilen verschwunden. Und vielleicht, wer weiß, hatten sie ja sogar recht, überlegte Heribert Pfründner weiter, immerhin war dieser Freud erstens ein Professor und zweitens ein Jud, und bei beidem konnte man bekanntlich nie so genau wissen. Mit Sicherheit aber war er der beste Postkunde im Abschnitt, dementsprechend hatte die Tasche nach dem Einwurf in der Bergasse 19 auch dieses Mal einen großen Teil ihres Gewichtes verloren, was die verbleibende Dienststrecke weit angenehmer und leichter zu bewältigen machte. Und als der Briefträger Heribert Pfründner schließlich in die Währingerstraße einbog und im klaren Frühmorgenlicht vor sich die magere Gestalt des jungen Trafikanten Franz Huchel ins Freie treten sah, da verspürte er in den Waden bereits dieses wohltuend kühle, federleichte Gefühl, das das nahende Ende der Schicht ankündigte.

Die ganze Nacht hatte Franz sich durch wirres Traumgepolter gewälzt, ein rasendes Durcheinander aus Worten, Tönen und Bildern. Das Aufwachen war eine Erlösung, und obwohl sich schon mit dem ersten Wachblinzeln die Erinnerung aufzulösen begann wie eine Nebelschwade in der Morgendämmerung, bemühte er sich, das ganze Chaos wenigstens mit ein paar Worten aufs Papier zu bringen. Mit immer noch etwas verschleiertem Blick trat er kurz darauf vor die Trafik und klebte den Zettel an die Auslagenscheibe. Ein kurzer Schmerz blitzte in seinem Mund auf. Schon wenige Tage nach seinem letzten Besuch bei der Gestapo waren die Zunge und der Kiefer wieder abgeschwollen, und er hatte sich einigermaßen an das neue Loch im Mund gewöhnt. Insgeheim mochte er die Zahnlücke sogar, und während er mit der Zungenspitze daran herumspielte und die glatten

Wände der Nachbarzähne und den weichen, warmen Boden des langsam verheilenden Zahnfleisches ertastete, dachte er an Anezka, an ihre Zähne, ihre Lücke, ihre rosige Zunge.

»Heilitler! Darf ich?« Auf weichen Sohlen war der Briefträger von hinten herangetreten, beugte sich nun, gekonnt ein gewisses Interesse vorgebend, nah an die Auslage heran und las:

17. Mai 1938
Eine Straßenbahn bimmelt durch den Wald, die Hasen-
augen sind dunkle Tropfen, in den Bäumen hängen
Gondeln, und über den Wolken hockt die weiße Angst,
etwas nagt an meinen Wurzeln, hätte man vielleicht
die Glut löschen sollen?

»Aha«, sagte der Briefträger und versuchte sich aus seiner leichten Erstarrung herauszuruckeln. »Interessant. Vor allem die Stelle mit dem Hasen!«

»Ja«, sagte Franz. »Haben Sie Post für mich?«

»Ach so, selbstverständlich«, nickte der Briefträger und holte aus seiner mittlerweile angenehm schlaffen Tasche das letzte Paket der Tagestour: eine längliche, in braunes Packpapier gewickelte und akkurat verklebte Schachtel. »Ich darf bitten: heute sogar ein behördliches Packerl!«

Franz nahm das Paket und bedankte sich. Mit einem kurzen Grunzlaut, der wahrscheinlich wohlwollende Freundlichkeit vorstellen sollte, tippte sich der Briefträger an seine Mütze und machte sich leichten Fußes auf die letzten hundert Meter des Weges, seinen vorauseilenden und freudigen Gedanken an das erste Vormittagsbier hinterher.

Franz trug das Paket hinein, legte es auf die Verkaufstheke und betrachtete es im Licht der kleinen Lampe. Die Sendung war an ihn persönlich gerichtet. *An Herrn Franz Huchel, Geschäftsführung Tabaktrafik Trsnjek, Wien 9, Währingerstraße.* Der Absender war amtlich blau gestempelt und lautete: **Der Inspekteur der Sicherheitspolizei, Wien 1, Morzinplatz 4.** Für einen Moment spürte Franz, wie sich in seinem Brustkorb das Wort »Geschäftsführer« zu einem angenehm warmen Gefühl des Stolzes ausweitete, dann riss er das Paket auf und öffnete die Schachtel. Ganz oben lag das Anschreiben, ebenso amtlich blau gestempelt, mit der Maschine getippt und undeutlich unterschrieben:

Der Inspekteur der Sicherheitspolizei   Wien 1, den ..... **16. Mai 1938.**.....
............**L VII – 75 / 39 g**............
Bitte in der Antwort vorstehendes Geschäftszeichen
und Datum anzugeben

An
Herrn Franz Huchel
Geschäftsführer der
Tabaktrafik Trsnjek
Währingerstraße
Wien 9

Betrifft: Rücksendung persönlicher (Wert-)Gegenstände

Anlagen: 1

Zur oben genannten Angelegenheit erlauben wir uns, Sie hiermit vom Ableben des Ihnen bekannten Trafikanten Herrn Otto Trsnjek in Kenntnis zu setzen. Herr T. ist in der Nacht zum 14. Mai in den Räumlichkeiten der Gestapo-Leitzentrale, Wien 1, Morzinplatz 4, seinem nicht näher zu bestimmenden Herzleiden erlegen. Die Bestattung durch die Stadt Wien fand am 15. Mai 1938 am Wiener Zentralfriedhof, Gruppe 40, Zeile IV, 2 statt.

Herr T. wurde im April dieses Jahres erkennungsdienstlich erfasst und angeklagt wegen

    des Verdachts der staatsfeindlichen Betätigung,

    des Vergehens gegen die öffentliche Ruhe und Ordnung,

    des Vergehens nach dem Heimtückegesetz,

    des unrechtmäßigen Besitzes von parteiamtlichen Stampiglien.

Über die Beschlagnahmung und die Einziehung der Vermögensstücke und Vermögenswerte (so vorhanden) wird in den nächsten Wochen befunden. Bis dahin sind alle Rechte und Ansprüche Dritter an diesen Vermögensstücken und Vermögenswerten unrechtens. Für diesen Zeitraum wird Herr Franz Huchel, geb. am 7. August 1920 in Nußdorf am Attersee, per einstweiliger Verfügung ermächtigt, die zur Aufrechterhaltung des Geschäftsbetriebes notwendigen Vorkehrungen zu treffen und die vorläufige Geschäftsführung der Tabaktrafik Trsnjek zu übernehmen.

Zu unserer Entlastung schicken wir Ihnen die anfallenden persönlichen Wertsachen des Herrn Trsnjek zurück. Es sind dies:

1 Schlüsselbund

1 Geldbörse (leer)

1 Foto (unbekannte Person)

1 Wollweste

1 Schuh

1 Hose (beschädigt)

<u>Abschrift</u>   Verw. Rat Dr. Kernsteiner

B/MA/G   Unterschrift ....

Franz legte das Schreiben auf den Stapel mit den Magazinen für die moderne Frau und breitete die Sachen auf der Verkaufstheke aus: den Schuh in die Mitte, links davon das Wollwestenbündel, den Schlüsselbund oben am Rand der Schreibunterlage, die Geldbörse neben das Tintenfass und das Foto direkt in den Lichtkegel der Schreibtischlampe. Das Bild zeigte Otto Trsnjek als jungen Mann in Uniform, er stand mit dem Rücken an eine Ziegelmauer gelehnt. Das linke Bein war angewinkelt und gegen die Mauer gestemmt. Neben seiner Schulter hing, vielleicht an einem Nagel oder an einem schlampig vermauerten Ziegel, seine Mütze. Er sah müde aus. Es schien, als wolle er sein komplettes Körpergewicht an die Mauer abgeben. Er blickte knapp an der Kamera vorbei irgendwo in eine weite Ferne. Die Sachen auf der Verkaufstheke sahen schön aus. Man müsste das malen, dachte Franz, oder den Fotografen vom Ponykarussell engagieren, der könnte sie abfotografieren. Ein kleines Trafikantenstillleben. Er nahm die akkurat zusammengefaltete Hose, schlug sie vor seiner Brust auseinander, hielt sie gegen die Auslagenscheibe und ließ den Hosenstumpfzipfel im Gegenlicht pendeln. Das Gewebe war dünn und fadenscheinig. Hätte der Trafikant die Hose noch eine Weile getragen, so hätte sein Knie bald wie durch ein zart vergittertes Fensterchen ins Freie hinausschauen können. Franz legte sie auf die Verkaufstheke zurück, schloss die Trafik ab und ging in sein Kämmerchen. Er zog die Tür hinter sich zu und starrte eine Weile in die Dunkelheit. Plötzlich knickten seine Beine ein, und er sank neben seinem Bett auf den Boden. Und dort blieb er liegen und weinte, bis er keine Tränen mehr hatte.

Kurz vor Ladenschluss stand er auf und ging wieder nach vorne. Er faltete Otto Trsnjeks Hose zusammen und ging

mit ihr in die Fleischerei Roßhuber hinüber. Der Fleischermeister und seine Frau standen hinter der Theke
und pressten schwere Fleisch- und Fettstücke durch eine
Faschiermaschine. Frau Roßhuber stopfte die dunkel-
roten, gelben und bläulichen Brocken an der einen Seite
hinein, während ihr Mann an der anderen Seite den trägen Schwall rosiger Würmer in Empfang nahm, zu Haufen formte, in Fettpapier wickelte und die faustgroßen
Päckchen eins neben dem andern auf eine Blechplatte pat-
schen ließ. Als die Tür aufging und der Trafikantbub von
nebenan hereinkam, hoben sie nicht einmal den Kopf,
bückten sich nur noch umso gewissenhafter an die Maschine heran. Doch als Franz die kleine Schwingtür neben
dem Eiskasten aufstieß und zu ihnen hinter die Theke
kam, einfach so, ohne zu grüßen, ohne zu fragen, ohne
überhaupt irgendetwas zu sagen, da stutzten sie, richteten
sich auf, traten einen Schritt zurück und verschränkten
ihre blutigen Unterarme vor ihren blutigen Schürzen.

»Was willst?«, fragte der Fleischermeister und blickte
auf die Bodenfliesen hinunter, wo das Blut und das Eis-
wasser zu seltsamen Schlieren zusammenliefen. Franz
legte die Hose neben die fettigen Päckchen auf das Blech
und sagte: »Die hat dem Otto Trsnjek gehört. Jetzt ist er
tot.«

Roßhuber wurde blass. Wie Marmor, dachte Franz,
wie einer von diesen Marmorheiligen, die in den Kirchen
herumstehen und die Leute mit ihren kalten Steinaugen
anschauen: groß, blass und starr. Der Fleischer öffnete
seinen kleinen Kindermund. Seine Zähne waren schmal
und gelb, das Zahnfleisch rosig wie die Fleischwürmer,

die hinter ihm noch immer aus der Maschine krochen.
»Und was haben wir damit zu tun?«, fragte er.

»Ihr habt seine Trafik beschmiert«, sagte Franz. »Ihr habt ihn beschimpft. Ihr habt ihn verraten. Und ihr habt ihn erschlagen!« Der Fleischermeister hob seinen schweren Kopf und starrte Franz stumm gegen die Stirn.

»Jetzt sag halt was!«, sagte seine Frau und wischte sich nervös ein paar Bröckchen Faschiertes von den Armen. Roßhuber hob die Schultern, ließ sie wieder sinken, schnaufte, zupfte seine Schürze zurecht, stierte vor sich hin, schnaufte noch einmal, schwieg.

»Vielleicht hat er ja nichts mehr zu sagen.« Franz trat einen Schritt zum Fleischermeister hin und blickte ihn an. Über die Marmorwangen huschten rosarote Flecken, wie letzte Wolkenfetzen nach einem Abendgewitter. In seinem Mundwinkel hing ein glitzerndes Spuckebläschen. Franz hob seine Hände und betrachtete die glatte Haut auf seinen Handrücken. »Die Mutter hat immer gesagt, ich hab ganz zarte Händ'. Zart, weiß und weich, wie von einem Mädchen. Ich hab das nie hören wollen, aber mittlerweile glaube ich, sie hat recht ...« Er ließ seine Hände wieder sinken. Dann holte er mit der Rechten aus und verpasste dem Fleischermeister einen klatschenden Schlag ins Gesicht.

Roßhuber rührte sich nicht. Er rührte sich nicht und gab keinen Laut von sich. Er stand nur da und stierte durch Franz hindurch, schwer, stumm und unbeweglich. Das Bläschen in seinem Mundwinkel war geplatzt. Seine Wange war leicht gerötet, und unter dem Jochbein waren zwei schmale Abdrücke zu sehen.

»Eduard!«, sagte die Frau mit vor Entsetzen verzerrtem Gesicht in die kühle Verkaufsraumstille hinein. »Eduard, jetzt mach halt was!«

Doch der Fleischermeister machte nichts. Erst lange nachdem Franz Otto Trsnjeks Hose unter den Arm genommen und die Fleischerei verlassen hatte, bewegte er sich wieder. Ganz langsam hob er beide Hände und ließ mit einem langgezogenen, dumpfen Stöhnen sein Gesicht in die Handflächen sinken.

Liebe Mama,
ich hätte Dir gerne wieder eine Karte geschickt (es sind ein paar neue gekommen, besonders imposante, mit Karls-kirche, Geranien, Gloriette und so weiter). Aber gewisse Worte vertragen keine Bilder, sondern brauchen ein Kuvert. Weil ich es nicht besser sagen kann, sag ich es eben so wie es ist: Gestern ist der Otto Trsnjek gestorben. Sein Herz ist einfach stehengeblieben. Vielleicht hat es nicht mehr mitgewollt, mit dem ganzen Leben, mit der Zeit und mit allem anderen. Gemerkt hat er wahrscheinlich gar nichts. Ganz friedlich ist er eingeschlafen. Und zwar im Burgen-land, dort wo er herkommt. Bitte liebe Mama, sei nicht traurig. Oder bitte sei doch traurig. Der Otto Trsnjek hat es nämlich verdient. Aber das weißt Du sowieso besser als ich. Ich bleib jetzt erst einmal hier. Weil: Was soll man denn sonst tun? Außerdem muss die Trafik weitergeführt werden. Unbedingt muss es weitergehen. Und es gibt ja auch wirklich genug zu tun. Alles rundherum ist irgend-wie im Aufbruch, kommt mir vor. Hoffentlich bricht nicht alles auseinander. Was bleibt, ist der See. Die Berge und

die Wolken werden sich länger darin spiegeln als die paar
dürren Hakenkreuzstangeln, das kannst Du mir glauben!
Liebe Mama, hiermit endige ich den traurigen Brief und
umarme Dich herzlich,
Dein Franz

Die Stille und die Weite, dachte Franz, während er auf
dem Kahlenberg in der Nähe der Stefaniewarte auf einem
vom Blitz getroffenen, schwarzen Baumstamm hockte
und auf Wien hinabblickte, die Stille und die Weite, das
Klare und das Tiefe, das Dunstige und das Heimliche, die
Sonne, der Regen, die Stadt, der See, der Berg. Wobei
gerade dieser Kahlenberg natürlich kein Berg ist, dachte
er weiter, zumindest kein ernstzunehmender Berg, wie es
zum Beispiel der Schafberg ist, oder der Hochlecken-
kogel, oder gar das Höllengebirge. Im Salzkammergut
würde der Kahlenberg höchstens als Hügel durchgehen,
dachte er, wenn überhaupt. Eher als unwesentliche Erhe-
bung, oder als Anhöhe, oder einfach nur als großer Erdhaufen mit ziemlich schütterem Waldbewuchs. Aber die
Wiener denken da anders, dachte er weiter, für die Wiener gilt der Kahlenberg nicht nur als richtiger Berg, sondern noch dazu als der schönste, der höchste und als der
vor allem an Sonn- und Feiertagen von der naturhungri-
gen Bevölkerung überrannteste Berg der gesamten Umgebung. Jetzt allerdings, am frühen Abend an einem ganz
normalen Wochentag war kein Mensch zu sehen. Niemand stolperte im Unterholz auf der Suche nach Ruhe
oder Eierschwammerln herum, niemand schrie seinen
Dackeln, seinen Kindern und seiner eigenen guten Laune

hinterher, und niemand breitete seine Wolldecke aus, um eine späte Jause mitsamt den dazugehörigen warmen Bieren zu genießen. Franz war alleine. Und wenn der Kahlenberg auch nur die vom lieben Gott verpfuschte Nachbildung eines richtigen Berges war, war es doch irgendwie schön hier oben. Man konnte still vor sich hin denken, es roch nach Sonne und Wald und das sonst immer gegenwärtige Stadtgetöse drang nur als zarte Ahnung herauf. Nach dem kurzen Besuch in der Fleischerei war er zurück in die Trafik gegangen. Er hatte den zweiten Brief seines Lebens an die Mutter geschrieben, hatte dann die Sachen des Trafikanten, mit Ausnahme der Hose, feinsäuberlich in einen großen Zigarettenkarton gepackt, einen Zettel mit der Aufschrift HERRN OTTO TRSNJEKS LETZTE DINGE draufgeklebt und sie unter der Verkaufstheke verstaut. Er hatte die Kunden bedient, eine Lieferung mit Schulheften (vierzig Seiten, zwanzig Seiten, glatt, liniert, kariert, mit und ohne Rand) entgegengenommen und die hochwertigen Zigarren in ihren Kisten gewendet, um sie vor der Feuchtigkeit zu schützen. Vor allem aber hatte er seit Langem wieder einmal Zeitung gelesen, wenn auch nicht alle Blätter, so doch zumindest die meisten, und wenn schon nicht von vorne bis hinten, so doch zumindest zum größeren Teil. Pünktlich um sechs hatte er sich schließlich an die Tagesabrechnung gemacht. Aber schon während er den Stöpsel von Otto Trsnjeks Füllfeder abschraubte, war ihm irgendwie komisch zumute, und als er dann die ersten Zahlen in die Buchhaltung kritzelte, überkam ihn eine nie gekannte, schmerzhafte Sehnsucht, und seine Hand begann so heftig zu zittern, dass hintereinander drei dicke Tintentropfen von der Federspitze tropften und genau in der Mitte der Saldospalte drei stachelige, schwarzblaue Kleckse bildeten. Franz wollte hinaus, ins Freie, an die Luft, in den Wald, auf den Berg, selbst wenn der Berg nichts weiter war als ein Erdhaufen am Wiener Stadtrand. Er schraubte die Füllfeder wieder zu, machte sich nicht einmal die Mühe, mit seinem Schwämmchen die Tintenflecken aufzutupfen, sperrte die Trafik ab und eilte dem würzigen Wind entgegen, in Richtung Kahlenberg.

Der Baumstamm, auf dem er saß, war immer noch sonnenwarm und roch angenehm modrig. An einer Stelle krochen rote Käfer durcheinander, krabbelten unter ein fauliges Rindenstück, kamen wieder hervor, verschwanden wieder. Wer nichts weiß, hat keine Sorgen, dachte Franz, aber wenn es schon schwer genug ist, sich das Wissen mühsam anzulernen, so ist es doch noch viel schwerer, wenn nicht sogar praktisch unmöglich, das einmal Gewusste zu vergessen. Er ließ einen der Käfer auf seinen Zeigefinger krabbeln. Sofort begann er wie wild um die Fingerkuppe herumzurennen. Behutsam setzte er ihn zurück aufs Rindenstück und sah zu, wie er im Gewimmel verschwand. Die Rücken der Käfer sahen aus wie kleine Ritterschilde, ihre Beinchen wie winzige, umherzuckende Buchstaben, die immer neue Worte, Sätze, Geschichten bildeten, während sie da so über den saftigen Kahlenbergboden krabbelten. Er musste an die Zeitungen denken, an die Schlagzeilen. So viel Aufregung, so viel gedrucktes Geschrei. Und doch war alles in Ordnung, schienen sie zu sagen, im Grunde genommen lief alles prächtig, wunderbar, hervorragend, ja geradezu fabelhaft! Natürlich wurde gerade Geschichte geschrieben – aber wann wurde das nicht? Umbrüche fanden statt – aber waren die nicht auch nötig? Staatsfeindliches Vermögen von Kommunisten und Querdenkern wurde beschlagnahmt – aber war das nicht nur gerecht? Jüdische Besitztümer wurden eingezogen, ihre Geschäfte geschlossen und von braven Bürgerinnen und Bürgern weitergeführt – aber waren das nicht einfach nur längst überfällige Maßnahmen zur Aufrechterhaltung der öffentlichen Sicherheit und Ordnung in unserer gemütlichen Wienerstadt? In unserem duldsamen, gottgeliebten Staate Österreich? Es geht ja voran! Es ist ja was los! Es tut sich ja allerorten was! Eröffnung der Ausstellung *Entartete Kunst* im Künstlerhaus! Schockierend! Der Führer in Italien! Der Führer in München! Der Führer in Salzburg! Der Führer überall! Unglaublich! Mussolini hält eine Rede! Goebbels spricht in Düsseldorf! Toll! Jüdische Kampfansage an England! Der Wettbewerb der Reichsbahnschützen findet in Wien-Kagran statt! Ein Kommunist bringt sich um! Noch einer! Und noch einer! Aber hatten sie es nicht auch ein kleines bisschen verdient, verehrte Leserinnen und Leser? Heute große Blumenschau in Favoriten! Eintritt für Kinder und Kriegsversehrte umsonst! Wo gibts denn so etwas! Der Prater wird von behördlicher Seite vom ausländischen Gesindel gesäubert! Heute Freibier für alle! Morgen große Flugschau! Kommen Sie alle! Sehen Sie sich das an! Bringen Sie Ihre Familie mit! Haben Sie heute schon gelacht? Unser Bild zeigt den Führer bei der Besichtigung der unüberwindbaren Bunker! Das Wetter in der Ostmark: windig und leicht bewölkt! Heute im Theater: *Lisa, benimm dich!* (Komödie)! Morgen im Kino: *Die kluge Schwiegermutter* (Komödie)! Die Welt dreht sich! Alles ist gut! Im Lichtspielhaus wurde gestern ein Kind geboren! Es lebe hoch! Die Gestapo feiert Dienstjubiläum! Bald ist Muttertag! Bald ist Weihnachten! Wien, Wien nur du allein, du sollst die Stadt meiner Träume sein!

Franz blickte über die Stadt. Die Sonne stand tief, die Dächer glänzten, hie und da blitzte ein verirrter Sonnenstrahl herauf, und die Donau wand sich silbrig zwischen den Häusern hindurch und verschwand in den weiten, dunklen Auen. Dort irgendwo musste die Trafik liegen. Daneben die Votivkirche. Der Morzinplatz. Die Oper. Der Prater mit dem Riesenrad. Das Riesenrad, unter dessen Schatten jetzt gleich die Vorstellung beginnen würde. Jeden Moment würde der Echsenmann die Türen schließen. Das Narbenmädchen würde noch einmal über die von Bier und Schnaps feuchte Theke wischen und dann die Scheinwerfer anmachen. Monsieur de Caballé würde auf die Bühne kommen. Die Witze. Hitler. Der Hund. Das wunderbare Grammofon. N'tschina, das scheue Mädchen aus dem Indianerland. Alles wie immer, alles wie sonst. Er schloss die Augen. Was sollte man noch denken, an einem solchen Tag, in solchen Zeiten, alleine auf einem Berg, der gar kein Berg war, ein paar rote Käfer und eine verrückt gewordene Stadt zu Füßen? Alles war denkbar. Alles war möglich. Wer das Gesindel vom Straßenpflaster fegt und die jüdischen Ratten aus ihren Löchern bläst, wer Hakenkreuze ins Seeufer pflanzt und einen Dampfer »Heimkehr« nennt, wer Trafikanten erschlägt und Mütter auf ungemachte Betten wirft, wer tagsüber am Helden-platz eine Legion von Händen gegen den Himmel reckt und abends brüllend durch die Gassen rennt, der würde auch das Riesenrad aus seinen Angeln heben oder eine kleine, grüne Grotte in den Erdboden stampfen.

Mit einem Mal spürte Franz einen Schmerz an seiner linken Hand, ein leichtes Brennen an den Fingergliedern, an Kuppen, Kanten und Knöcheln. Winzige Brandherde, die sich rasch vermehrten, sich zu feinen Glutlinien ver-zweigten: über das Handgelenk, den Unterarm, den Ober-arm, die Schulter. Hunderte füllfederspitzenzarte, hell brennende Namenszüge. Anezka, dachte Franz, Anezka. Und dann lief er los. Verzweifelt stürzte er den Abhang hinunter. Der Boden unter seinen Füßen war weich und feucht, die Felsbrocken waren mit dunklem Moos über-wachsen, und über ihm rauschten die Baumkronen. Er rannte, so schnell er konnte, und hörte seinen eigenen Atem wie das Keuchen eines Fremden. Und für einen Moment wusste er nicht mehr, ob die Zweige, die ihm ins Gesicht, gegen die Brust und an die Arme schlugen, Wirklichkeit waren oder ob er sich in seinem eigenen Traum befand, ob er hellwach oder träumend die steilen Hänge des Kahlenberges hinunterflog.

Die Vorstellung ging schon ihrem Ende zu, als Franz eine Stunde darauf atemlos und mit erdverklebten Schuhen die Grotte betrat. Die Echse reckte ihm ihr Köpfchen ent-gegen, erließ die Hälfte des Eintrittsgeldes und öffnete die Tapetentür. N'tschina hatte offenbar bereits ausgetanzt und die Bühne verlassen. In den bierstumpfen Augen der

Männer glühte immer noch der Funken, den sie dort entzündet hatte. Im Scheinwerferlicht stand ein dicklicher Mann mit Halbglatze. Er trug einen zitronengelben Anzug, schwenkte seine Arme durch die Luft und sprach mit heiserer Fistelstimme ins Publikum. Hinter der Theke stand das Narbenmädchen. Ihr Gesicht flackerte im Kerzenlicht, die Narbe auf ihrer Wange sah aus wie gezeichnet, scharf und dunkel. Sie begrüßte Franz mit einem kurzen Nicken. An einem Tisch im Hintergrund saßen drei Männer in schwarzer Uniform. Einer von ihnen, ein jüngerer Mann mit weichen Gesichtszügen und käsiger Haut trug einen Dolch an einer Kette um die Hüfte, die aus einer Reihe silbriger Totenköpfchen bestand. Der Conférencier auf der Bühne erzählte einen Witz. Was man heutzutage eigentlich von einem Judenweib in Sachen Haushaltsführung erwarten dürfe, wollte er wissen. Jemand brüllte ihm die Antwort entgegen, alle lachten und klatschten, und der Zitronengelbe machte ein erstauntes Gesicht. Franz ging in einem Bogen um die Bühne herum und verschwand durch die Tür dahinter. Am Ende eines finsteren Ganges war eine weitere Tür. Ein Lichtstreifen schimmerte darunter hervor, und die Angeln knarrten leise, als er sie öffnete. Der Raum war winzig und hell erleuchtet, ein Geruch nach Schweiß und Schminke lag in der Luft. An einem Wandtisch saß Anezka vor einem von bunten Lämpchen umrahmten Spiegel. Sie trug immer noch ihr Kostüm, die Feder in ihrem Haar zitterte, als Franz eintrat. »Ah, der Burschi!«, sagte sie mit einem Lächeln und wischte sich mit einem Schwämmchen die Kriegsbemalung von den Wangen.

»Anezka«, sagte Franz, und der Name fühlte sich seltsam fremd an, wie noch nie ausgesprochen. »Wo ist der Heinzi?«

Sie zuckte mit den Schultern. »Weg. Mitgenommen von Gestapo.«

»Warum?«

»Wegen Witze. Und andere Sachen.«

Franz starrte auf ihr Spiegelbild. An einer Stelle war ein Stück aus dem Glas gebrochen. Es sah aus, als hätte sie eine dunkle Kerbe an der Stirn.

»Hast du schon ein Paket bekommen?«, fragte er leise.

»Was für Paket?«

Er schluckte. »Weiß nicht. Gar keins. Ist vielleicht auch Blödsinn …« Inzwischen hatte sie alle Farben weggewischt und fing an, eine Zeigefingerspitze weißer Creme auf Stirn und Wangen zu verteilen. Das Weiß gab ihrem Gesicht etwas Maskenhaftes. Franz musste an die Totenmaske denken, die hinter dem Altar in der Nußdorfer Kapelle hing. Sie zeigte das Antlitz irgendeines Dorfheiligen, dessen Name und Herkunft sowie die Gründe seiner angeblichen Heiligsprechung über die Jahre verloren gegangen waren und der je nach Blickwinkel oder Lichteinfall wahlweise freundlich oder verschlagen in den Kirchenraum schaute und den Kindern während der Sonntagsmesse Angst machte. Eigentlich konnte ihn niemand leiden, aber bislang hatte sich noch kein Pfarrer getraut, ihn abzuhängen und im Kirchenkeller in der Kiste mit den alten, von der Zeit zerfressenen Gebetsbüchern zu verstauen, schließlich wusste man ja doch nie so genau, und sicher ist sicher, denn Gottes Wege sind unergründlich.

Anezka hatte die Creme inzwischen eingerieben. Sie löste ein paar Haarnadeln, zog sich mit einer raschen Bewegung die Perücke vom Kopf und hängte sie an einen Haken neben dem Spiegel. Sie bürstete sich die Haare aus der Stirn und blickte Franz mit rosig glänzendem Gesicht an.

»Wohin ist Zahn gegangen?« fragte sie.

»Weiß nicht«, sagte Franz und befühlte mit der Zungenspitze das glatte Zahnfleisch in der Lücke. Anezka legte die Bürste weg, stand auf und trat nah an ihn heran. Er konnte ihre Schminke riechen, die Kohlepartikelchen an ihren Wimpern, ihre Haut, ihren Schweiß, ihren Atem.

»Hast scheenes Loch im Mund!«, sagte sie und lachte. »Schaust jetzt aus wie ich!«

»Ja«, sagte Franz und schluckte. Plötzlich fühlte er, wie sich ein kleines Schwindelgefühl in ihm ausbreitete. Vielleicht war es die stickige Luft in der Grotte. Vielleicht war er zu schnell gerannt. Er machte einen Schritt nach vorne und zwei Schritte nach rechts und starrte für einen Moment gegen die Wand. Komisch, dachte er, dass man sich in einem so kleinen Raum verirren kann. Die Wand war grob verputzt und fleckig. An einer Stelle steckte ein Haken, an dem ein ausgefranster Faden hing und sich leicht bewegte. Franz spürte sein Herz, ein großes, warmes Pochen in seiner Brust. Irgendwo am Kahlenberghang oder in den Wiener Außenbezirksgassen musste er es abgehängt haben und jetzt erst hatte es ihn wieder eingeholt. Der Faden hörte auf, sich zu bewegen. Das Schwindelgefühl war vorbei. Franz drehte sich um, ging die zwei Schritte zu Anezka zurück, legte eine Hand an ihre Wange und begann zu sprechen, sprudelnd und ohne nachzudenken: »Anezka, ich versteh es ja selber nicht, alle sind verrückt geworden, die Leute schmeißen sich von den Dächern, den Otto Trsnjek haben sie umgebracht, und wer weiß, was gerade mit dem Heinzi geschieht, die Juden hocken auf den Gehsteigen und putzen das Pflaster, als Nächstes sind die Ungarn dran oder die Burgenländer, oder die Böhmen oder was weiß ich, wer sich das Haken-kreuz nicht ins Hirn brennen lässt, der ist dran, wer sei-nen Arm nicht in den Himmel streckt, kann schon im Hotel Metropol buchen, ein Zimmer ohne Wiederkehr, in Wien hat es sich ausgetanzt, und im Prater geht die schwarze Pest um, hast du es nicht gesehen, die sitzen schon draußen, saufen ihr Bier und warten nur darauf, den nächsten Trafikanten oder Juden oder Witzeerzähler ins Feuer zu schmeißen, Anezka, ich weiß nicht, ob du mich noch willst, und ich weiß nicht, ob ich dich noch will, das ist jetzt auch egal, draußen sitzt die SS und klin-gelt mit den Sporen, aber vielleicht können wir wegge-hen, wir beide zusammen, mein ich, irgendwohin wo es ruhig ist, nach Böhmen von mir aus, hinter den dunklen Hügel, oder ins Salzkammergut, die Mama hätt bestimmt nichts dagegen, ich könnte eine Trafik aufmachen, und wir könnten heiraten, einfach so, weil dem lieben Gott ist das sowieso egal, und du wärst dann eine …«

In diesem Augenblick ging die Tür auf, und der käsige junge Mann kam herein. Er hatte seine Mütze unter den Arm geklemmt und blickte sich interessiert um. An seiner Dolchkette klickerten die Totenköpfchen. Franz fühlte, wie sich seine Nackenmuskeln anspannten. So, dachte er, gleich wird die Tür noch einmal aufgehen, und noch mehr schwarze Uniformen werden hereinpoltern. Oder schweigend hereinschleichen wie große, schwarze Vögel. Am liebsten wäre er einfach aus der Garderobe und aus der Grotte gerannt, den ganzen Weg zurück, den Kahlenberg hinauf, auf der anderen Seite gleich wieder hinunter und immer weiter, die Donau entlang, bis zu ihrer Quelle und darüber hinaus. Aber das ging jetzt nicht mehr. Hier stand er. Hier stand Anezka. Und das war alles. Er atmete einmal tief aus und einmal tief ein, trat dann einen Schritt nach vorne, verschränkte die Arme vor der Brust und sagte: »Mein werter Herr, ich möchte Ihnen in aller Höflichkeit mitteilen, dass es mir ehrlicherweise vollkommen egal ist, ob Sie eine schwarze Uniform anhaben oder eine blaue oder eine gelbe und ob Sie Totenköpfe oder Kieselsteine oder hinterfotzige Gedanken um den Bauch hängen haben. Allerdings überhaupt nicht egal ist mir dieses böhmische Mädchen hier. Sie ist nämlich Künstlerin und hat ansonsten niemandem etwas getan. Außer, dass sie mich geküsst, respektive erweckt hat und deswegen unter meinem ganz persönlichen Schutz steht. Darum möchte ich Sie, mein werter Herr, hiermit inständig und aufrichtig ersuchen, uns doch in Ruhe zu lassen. Und wenn es ums Verrecken nicht anders gehen will und Sie Ihrem Sturmführer oder Bannführer oder Sturmbannführer oder sonst irgendeinem anderen Führer unbedingt von der Arbeit etwas mitbringen müssen, dann nehmen S' halt in Gottes Namen mich mit!«

Der junge Mann blinzelte. Seine Wimpern waren lang und sanft geschwungen, seine Stirn hoch, glatt und weiß. Er blickte zu Anezka. Sie seufzte, schien kurz zu überlegen, blies sich eine verirrte Haarsträhne aus der Stirn und seufzte noch einmal. Dann trat sie an ihn heran, umfasste mit beiden Armen seinen Oberköper, schmiegte sich an ihn und legte ihre Wange an seine Schulter, genau an die Stelle, wo zwei dicke, weiße Kordeln von den Schulterklappen herunterbaumelten.

»Ach so ist das«, sagte Franz nach einer Weile. Anezka blinzelte träge.

»Ja, so ist das«, antwortete sie. Franz blickte zur Decke hoch. Für einen Moment kroch ihm ein Gedanke hinter die Stirn, so schmutzig und gemein wie der Lurch, der dort oben zwischen den Bretterritzen heraushing. Doch er verscheuchte ihn wieder. Stattdessen hätte er gerne mit bloßen Händen ein Loch in die Wand gerissen und wäre einfach hindurchgegangen, nur ein paar Pratergässchen weiter bis zum Riesenrad. Er hätte gerne eine der Gondeln bestiegen und sich so lange im Kreis drehen lassen, bis der Schmerz vorüber war. Anezkas rosiger Zeigefinger spielte mit den Kordelschnüren an ihrer Wange. Der junge Mann hatte seine Hand an ihren Nacken gelegt und fing an ihren Haaransatz zu kraulen.

»Man müsste vielleicht …«, sagte Franz und stockte.

»Was?«, fragte Anezka und legte ihre Hand auf die Hand in ihrem Nacken.

Franz zuckte mit den Schultern. »Weiß nicht« sagte er. »Ich weiß es wirklich nicht.« Dann drehte er sich um und ging.

Als er sich an den Tischen vorbei zum Ausgang drängelte, legte der zitronengelbe Conférencier gerade eine elegante Verbeugung hin und schwenkte dabei seinen Hut über der schweißnassen Glatze. Und noch nachdem er die Grotte längst verlassen hatte und durch die schmale Bretterzaungasse langsam in Richtung Riesenrad steuerte, konnte er hinter sich den gedämpften Applaus hören. Er musste an die Fledermäuse denken, die er als Bub so oft beobachtet hatte und die tagsüber fast reglos an der Decke der Unteracher Kalksteinhöhle hingen und sich erst kurz nach Sonnenuntergang wie auf ein stilles Zeichen von der Decke lösten und in einem gewaltigen Schwarm in die Nacht hinausrauschten.

Seitdem die Nazis mittlerweile in ganz Wien und dementsprechend natürlich auch in der Wiener Postzentrale endgültig das Sagen haben, dachte der Briefträger Heribert Pfründner während er die letzten Meter die Berggasse hinaufstapfte, hat sich ja immerhin nicht alles zum Schlechten und zugegebenermaßen manches vielleicht sogar zum Guten verändert, so viel muss man denen ehrlicherweise schon zugestehen. Zum Beispiel, dachte er weiter, heißen die Briefmarken jetzt Postwertzeichen und sind insgesamt schöner, weil bunter und irgendwie beeindruckender als früher, mit den Adlern und Menschenmengen und Danziger Wappen und den vielen anderen Sachen. Auf manchen Marken war jetzt auch der Führer abgebildet. Im Grunde genommen und trotz der ganzen Deutschtümelei war der Führer immer noch ein Österreicher, dachte Heribert Pfründner, ein waschechter Oberösterreicher aus der zwar schönen, aber doch recht unscheinbaren Ortschaft Braunau am Inn, und also wird der schon wissen, was für so ein Land mitsamt seinen Einwohnern und Postkunden alles gut ist. Wenn nämlich der Führer nicht wüsste, was er macht, wäre er schließlich kein Führer, sondern allerhöchstens Bürgermeister oder Gemeinderatsvorsitzender oder Gemeinderatskassenwart von Braunau am Inn. Obwohl manche Sachen schon auch fragwürdig daherkommen, dachte er, während er den blechernen Geräuschen nachhorchte, die die Kuverts und Postkarten in der Tiefe der Briefkästen des Eckhauses Berggasse/Währingerstraße erzeugten. Zum Beispiel diese Geschichten mit den Juden, die man in letzter Zeit immer öfter hörte: ob es nicht eigentlich doch ein bisschen eine Sauerei war, die Juden aus ihren Wohnungen, Geschäften und Ämtern, insbesondere auch aus allen Postämtern zu schmeißen und sie obendrein noch auf den Knien die Gehsteige auf und ab rutschen zu lassen? Oder diese ungute Sache mit den Briefen, von der man sich in Kollegenkreisen hinter vorgehaltener Hand erzählte. Von ausgedehnten Kellergeschossen unter der Postzentrale war da die Rede, von gleißend hellen Räumen, in denen hunderte Männer und Frauen im Schichtbetrieb Briefe öffneten und je nach Inhalt entweder zur endgültigen Verschickung freigaben oder der Postobrigkeit zur eingehenderen Begutachtung zukommen ließen. Und wirklich musste man ja mittlerweile schon fast jeden zweiten Brief im aufgeschlitzten Kuvert zustellen, was natürlich nichts anderes als eine ausgemachte Schande für jeden einigermaßen ehrenhaften Briefträger und damit insbesondere auch für ihn, Heribert Pfründner, den bekanntermaßen ehrenhaftesten Briefträger des Abschnittes Alsergrund/Rossau und darüber hinaus, darstellte. Aber gut, dachte er, was ging ihn das alles an: Er selber bekam schon lange keine Post mehr, und die wenigen Jahre bis zur Rente würde er auch noch irgendwie herunterkeuchen. Außerdem war er kein Jude, sondern ursprünglicher Obersteiermärker und hatte dementsprechend einen bis in die Steinzeit sauber nachvollziehbaren Stammbaum.

In solchen und noch ganz anderen Gedanken war Heribert Pfründner schließlich in der Währingerstraße vor der kleinen Trafik angelangt, kramte aus seiner mittlerweile angenehm schlapp von der Schulter baumelnden Posttasche ein Exemplar des *Alsergrunder Bezirksblattes* sowie ein paar bunte Prospekte heraus, warf einen kurzen Blick auf den heutigen Traumzettel an der Auslagenscheibe, stieß die Tür auf und betrat den Verkaufsraum mit einem für seine Verhältnisse ziemlich wohlgelaunt dahingenuschelten »Heilitler!«

Hinter der Theke blickte Franz von seiner Buchhaltung auf, mit der er sich schon die halbe Nacht und den ganzen Morgen herumgemüht hatte, und nickte dem Briefträger entgegen. »Lieber Herr Postler«, sagte er müde, »den Hitler können Sie sich sonstwo hinstecken, ansonsten wünsche ich Ihnen einen guten Morgen!«

Heribert Pfründner tat, als ob er nichts gehört hätte, räusperte sich umständlich, knarzte ein bisschen mit seinem ledernen Posttaschenschulterriemen, blickte in den Zeitschriftenregalen umher, gähnte, zupfte an seinem Krawattenknoten und räusperte sich noch einmal.

»Sie werden es ja sicher gehört haben«, sagte er endlich und beugte sich etwas näher zur Verkaufstheke hin. »Wo Sie doch gewissermaßen in näherer Bekanntschaft mit dem Herrn Professor stehen!«

»Mit welchem Professor denn?«

»Na mit dem Deppendoktor.«

»Das kann schon sein«, sagte Franz und tat recht uninteressiert. Obwohl er insgeheim ein wenig geschmeichelt war von dieser quasi öffentlich-amtlichen Einschätzung seiner Beziehung zu dem Professor. Besonders sorgfältig tupfte er mit seinem Tintenschwämmchen die Füllfederspitze ab. »Was genau soll ich denn da gehört haben?«

»Na, dass der Professor fortgeht. Raus aus der Berggasse, raus aus Wien, raus aus Österreich, mitsamt Familie und Wohnungseinrichtung und allem Drum und Dran!« Franz nickte. Etwas Ungutes stieg ihm in den Hals, pfropfte sich dort für einen Augenblick fest, bevor es weiter hinaufstieg, sich irgendwo hinter den Augen ausweitete und seinen ganzen Kopf zu füllen schien. »Soso«, sagte er und blickte auf die Spalten hinunter, in denen seine tintenfrischen Einträge zu einem einzigen blauen Zahlenbrei verschwammen.

»Ja, so ist das«, setzte der Briefträger mit einem eifrigen Nicken nach, »weil der Professor ist ja auch einer von denen. Ein Jud, meine ich. Und als Jud auf der einen Seite und als Professor auf der anderen wird er sich halt gedacht haben: Bevor es endgültig ungemütlich wird, geh ich lieber!«

»Aha«, sagte Franz, »wohin will er denn gehen?« Heribert Pfründner richtete sich auf und zuckte mit den

Schultern. »Nach England angeblich. Dort hat er vielleicht seine Ruhe. Außerdem gibt es einen König und wahrscheinlich noch genug Deppen, die ihm was für seine Ideen bezahlen.«

»Aha«, wiederholte Franz. »Und wann soll es losgehen?«

»Morgen, Herr Trafikant«, sagte der Briefträger und schleuderte mit einer runden Bewegung seines Oberkörpers die nach vorne gerutschte Posttasche auf den Rücken zurück. »Morgen Nachmittag um drei!«

Nachdem der Briefträger die Trafik verlassen hatte, dauerte es eine Weile, bis Franz' innerlich erglühter Kopf einigermaßen abgekühlt und imstande war, sinnvolle Handlungen einzuleiten. Jetzt ging also auch der Professor. Alle gingen. Es war, als ob sich die ganze Welt aufmachte, irgendwohin zu gehen. Dabei war er selbst doch gerade erst gekommen! Er verstaute Buchhaltung und Schreibzeug in der Verkaufstheke, ging nach hinten, spritzte sich kaltes Wasser ins Gesicht, kämmte sich mit den Fingern durch die Haare, ging wieder nach vorne, suchte aus der Kiste mit den Hoyos drei besonders schöne, pralle und duftende Exemplare heraus, wickelte sie in den Kulturteil eines *Bauernbündlers*, steckte sich das Päckchen unters Hemd, sperrte die Trafik zu und machte sich auf den kurzen Weg zur Berggasse Nr. 19.

Die beiden Zivilen waren schon von Weitem zu erkennen. Dicht nebeneinander saßen sie auf der kleinen Bank, einer hatte seinen Kopf in den Nacken gelegt und schien die Tauben in den Dachrinnen zu beobachten, der andere saß in leicht vornübergebeugter Haltung und starrte aufs Pflaster hinunter. Es sah aus, als säßen sie seit sehr langer Zeit so da, die Hintern an die Bank genagelt und völlig unbeweglich, doch als Franz am Tor angelangt war und seinen Zeigefinger auf die Ordinationsklingel des Professors legte, standen sie plötzlich hinter ihm.

»Wo willst denn hin?«, fragte der Jüngere der beiden.

»Na da hinein«, antwortete Franz.

»Zu wem?«

»Zum Professor.«

»Wozu?«

»Ich bring ihm seine Theaterkarten!«

»Was für Theaterkarten?«

»Burgtheater selbstverständlich«, sagte Franz. »Erste Reihe Mitte Parkett. Schiller, glaub ich, oder Goethe. Jedenfalls was Ernstes!«

Der ältere Kollege trat einen Schritt an Franz heran, blickte ihm aber nicht in die Augen, sondern schien eine Stelle an seiner Stirn oder irgendwo knapp darüber zu fixieren. »Für Juden gibt es heute keine Vorstellung«, sagte er. Und auch morgen nicht. Und übermorgen schon gar nicht. Für Juden hat es sich endgültig ausgespielt. Und deswegen schleichst dich jetzt wieder mitsamt deinen Theaterkarten, und zwar schnell. Sonst steck ich sie dir so tief in dein Oarschloch hinein, dass sie nicht einmal ein Kuhdoktor finden wird!«

Franz ging langsam die Berggasse hinunter. Die Zivilen waren zur Bank zurückgekehrt und hatten wieder ihre Haltung eingenommen: Kopf in den Nacken mit Blick auf die Tauben, hängender Kopf mit Blick aufs

Straßenpflaster. Nach ungefähr fünfzig Metern bog er in die Porzellangasse ein und blieb stehen. Unter seinem Hemd knisterte das Päckchen. Die Hoyos dufteten sogar durch das Zeitungspapier hindurch. Vorsichtig spähte er um die Ecke. Die Männer saßen unverändert da, grau und bewegungslos wie Denkmäler. Ihnen gegenüber, nur wenige Schritte neben dem Eingangstor zur Professorenwohnung, hatte ein Kohlehändler sein Geschäft. Die Holzverschläge zur Kellerluke standen offen, die Straße war fast bis zur Mitte der Fahrbahn eingeschwärzt vom Kohlestaub. Franz musste an Anezkas Wimpern denken. Schwarz, dachte er, schwarz wie das Herz des Teufels. Ein lauter werdendes Scheppern und das Getrappel schwerer Hufe kündigten einen Bierwagen an, der sich vom Donaukanal her näherte. Der Kutscher schnalzte mit der Zunge, die Pferde machten einen Satz nach vorne, der Wagen beschleunigte und holperte zügig die Berggasse herauf. Es war ein großer Wagen, beladen mit acht riesigen Fässern und zwei Lehrbuben, die ihre Beine von der Ladefläche baumeln ließen. Als der Wagen sich zwischen ihn und die Zivilen schob, lief Franz los. Geduckt trabte er neben den schulterhohen Rädern her, machte auf Höhe der Kohlenhandlung einen scharfen Schlenker und war mit drei Schritten an der pechschwarzen Luke. Er fasste die Einrahmung mit beiden Händen, schwang sich hindurch, glitt auf dem Hintern die kurze Kohlenrutsche hinunter, landete auf einem leise klackernden Bruchkohlenhaufen und sah sich um. Überall war Kohle: zu Haufen zusammengeschaufelt, in Säcke abgepackt, als Briketts zu glänzend schwarzen Mauern gestapelt, als vereinzelte Brocken überall auf dem Boden verstreut. Unter einem Fensterchen an der Rückwand stand ein schmutziger Schreibtisch, davor drei übereinandergeschichtete Kohlesäcke als Sitzgelegenheit. Franz stieg auf den Tisch, steckte seinen Kopf ins Freie und blickte in einen menschenleeren Hinterhof. Hohe, graue Mauern, in der Mitte eine alte Kastanie, da und dort ein offenes Fenster, ein paar verdrückte Geranien, der Geruch nach feuchtem Kalk, gekochtem Kohl und Gemeinschaftsklos. Franz zog sich hoch und kroch hinaus. Über eine niedrige Hoftür gelangte er ins Stiegenhaus der Nr. 19. Er ging in den ersten Stock, hielt kurz an, um seinen hämmernden Puls etwas zu beruhigen, und drückte dann auf die Klingel. Es dauerte eine halbe Ewigkeit, nämlich genau siebenundvierzig Herzschläge, bis sich die Tür öffnete und im Spalt Annas schmales Gesicht erschien.

»Guten Tag, ich hätte, bitteschön, gerne Ihren Herrn Papa gesprochen!«, sagte Franz.

»Mein Vater ordiniert nicht mehr.« Ihre Stimme war hell und weich. Ihre Augen waren braun wie die des Professors, nur etwas dunkler und ruhiger.

»Ich komme ja auch nicht, um ordiniert zu werden«, erklärte Franz und reckte ihr angriffslustig sein Kinn entgegen, »sondern sozusagen als näherer Bekannter!«

Anna Freud hob die linke Augenbraue. Franz hatte Menschen immer bewundert, die dieses Kunststück zustande brachten. In Nußdorf waren es, soweit er sich erinnern konnte, nur zwei: der alte Volksschullehrer Langelmaier und seine Mutter. Er selber hatte sich jahrelang bemüht, zuhause vor dem kleinen Spiegel oder am Ufer übers Wasser gebeugt, hatte aber im Grunde genommen nie mehr als eine merkwürdige Stirnverzerrung geschafft. Anna löste die Sicherheitskette und öffnete die Tür. Sie trug einen fast bodenlangen, bis zum Hals zugeknöpften und ziemlich abgetragenen Wollumhang, eine Art Abend- oder Morgen- oder Hausmantel. Ihre Füße waren nackt.

»Komm mit!«, sagte sie und ging voran. Durch das Wartezimmer und über ein kahles Vorzimmer gelangten sie in einen weiteren Raum. Anna öffnete das einzige Möbelstück, einen fast deckenhohen Kasten, in dem nebeneinander ungefähr zwanzig akkurat gebügelte Hosen hingen. Sie holte eine davon heraus, erdfarben und mit hoher Stulpe.

»Zieh die an!«

Jetzt erst fiel Franz auf, wie schmutzig er war. Der Rutsch in den Keller hatte seine Hose schwarz eingefärbt, und bei jedem Schritt sonderte er kleine Kohlenstaubwölkchen ab. Anna drehte sich zum Fenster, verschränkte die Arme und senkte leicht den Kopf. In der Spiegelung konnte Franz sehen, dass sie die Augen geschlossen hatte. Vorsichtig schlüpfte er aus seiner Hose und zog stattdessen ihre an. Eine Frauenhose, etwas weit an den Hüften, etwas eng an den Waden, etwas kurz insgesamt, aber es ging. Als er fertig war, drehte sie sich um und nickte.

Über mehrere fast leere Räume, in denen nur da und dort ein paar Kisten an den Wänden gestapelt waren, gelangten sie vor das Behandlungszimmer des Professors. Anna pochte dreimal mit den Fingerspitzen gegen die Tür, öffnete sie dann behutsam und bedeutete Franz mit einer knappen Kopfbewegung einzutreten.

Er brauchte einige Augenblicke, um den Professor in dem bis auf wenige Möbel leergeräumten Zimmer zu entdecken. Er lag auf einer unförmigen Couch, den Kopf auf einem Haufen dicker Polster gelagert, den Rest des Körpers unter einer schweren Wolldecke verborgen. Im Raum befanden sich außer der Couch nur noch ein riesiger Kachelofen sowie eine Glasvitrine voller seltsamer Figuren, Männchen und Tierfratzen.

»Was willst du denn hier?« Die Stimme des Professors hatte sich endgültig in das brüchige Knarzen eines morschen Astes verwandelt. Er schien abgenommen zu haben. Noch zerbrechlicher, als Franz ihn in Erinnerung hatte, lag sein Kopf auf den Polstern. Sein Kiefer sah aus, als wäre er irgendwie seitlich weggerutscht, und befand sich in ständiger Bewegung. Mit vorsichtigen Schritten trat Franz über das Parkett auf die Couch zu.

»Sind Sie krank, Herr Professor?«, fragte er so leise, dass er sich für einen Augenblick selbst kaum zu verstehen glaubte.

»Seit ungefähr vierzig Jahren«, nickte Freud. »Nur dass ich mittlerweile meine Zeit mit einer Wärmflasche auf der Couch verbringe, die eigentlich für andere bestimmt war. Übrigens würde ich dir gerne einen Sitzplatz anbieten, aber ich fürchte, unsere Sessel sind entweder verschifft oder werden bereits von irgendwelchen strammen Nationalistenhintern eingesessen!«

»Ich stehe gerne, Herr Professor!«, sagte Franz schnell. »Ich hab gehört, Sie fahren weg?«

»Ja«, ächzte Freud und rappelte seine Knie unter der Decke zu einem spitzen Dreieck auf.

»Wohin denn?«

»Nach London.« Der Professor rückte seine Brille auf der Nase zurecht. »Wieso steckst du eigentlich in Annas Hose?«

»Ihre Tochter war so freundlich … und da hab ich … ich bin ja über den Hinterhof … durch den Kohlenkeller … weil doch draußen die Gestapo sitzt …«

»Die Gestapo …«, wiederholte der Professor, und es hörte sich an, als fiele ihm ein Brocken aus dem Mund.

In diesem Moment wurde ihr Blick fast gleichzeitig nach oben gelenkt, wo sich direkt über der Couch ein Weberknecht seinen Weg über die Zimmerdecke zitterte. In einem weiten Bogen tänzelte er in eine Ecke, blieb stehen, wippte noch ein bisschen aus und rührte sich nicht mehr.

»Ich hab Ihnen etwas mitgebracht!«, sagte Franz. Er zog das Päckchen unter seinem Hemd hervor, wickelte vorsichtig die drei Zigarren aus dem Kulturteil und bot sie dem Professor an. Freuds Gesicht hellte sich auf. Mit einem unerwartet lebhaften Schwung warf er die Decke zur Seite und setzte sich auf. Jetzt erst erkannte Franz, dass er einen Anzug trug: einen tadellosen Einreiher aus grauem Flanellstoff, mit Weste, gestärktem Hemdkragen und korrekt gebundenem Krawattenknopf. Aber keine Schuhe. Freuds Füße, klein und schmal wie Kinderfüße, steckten in dunkelblauen Socken, von denen der rechte in der Gegend des äußeren Großzehenrandes offenbar schon mehrmals gestopft worden war.

»Eine für jetzt, eine für die Reise, eine für England, hab ich mir gedacht«, sagte Franz.

Freud betrachtete die drei Zigarren mit einem sanften Wiegen seines Kopfes, schließlich nahm er eine davon mit spitzen Fingern und ließ sie in seiner Sakkotasche verschwinden.

»Die ist für das Königreich!«, sagte er. »Die ersten Züge in Freiheit!«

Er nahm die beiden anderen Zigarren, hielt sie gegen das Fensterlicht, betastete sie behutsam, machte einen tiefen Atemzug und presste, von einem begeisterten Rasseln begleitet, heraus: »Hast du schon einmal etwas so Herrliches, etwas so Wunderbares, etwas in seiner Unvollkommenheit so Vollkommenes zwischen den Zähnen gehabt?«

Franz dachte an die Lianen, die er früher gemeinsam mit den anderen Buben aus dem Unterholz gerissen, mit Hilfe eines Taschenmessers in fingerlange Stücke geschnitten und auf dem Rücken liegend am Steg geraucht hatte. Der Geschmack war grausig, holzig und bitter, aber niemand ließ sich etwas anmerken. Stattdessen rauchten alle blass und still in den Himmel hinauf und versuchten den immer wieder neu aufkeimenden Hustenreiz zu unterdrücken. Manchmal verzog sich einer ins Schilf, um gebückt zwischen den hohen Halmen ins Wasser zu reihern, in dem sich alsbald die silbrigen Saiblinge um die Bröckchen stritten.

»Nein, ich glaube noch nicht, Herr Professor.«

Der Alte schob seinen Kiefer zu einem schiefen Lächeln zurecht. »Dann wird es Zeit, mein junger Freund!«

Auf ein Nicken des Professors ging Franz zögernd zur Vitrine hinüber und holte einen von einem kopflosen Terrakottareiter und einem kleinen, aber ziemlich aufrechten Marmorphallus flankierten Aschenbecher aus schwerem Bleikristall heraus. »Ich weiß nicht so recht, Herr Professor, ich hab das noch nie versucht.«

»Im Versuch erschaffen sich die Welten neu«, meinte Freud fröhlich. »Außerdem möchte ich zum Abschied nicht alleine rauchen.«

»Setz dich!«, fügte er nach einem weiteren rasselnden Atemzug hinzu und tätschelte mit seiner linken Hand die Polsterung neben sich.

»Auf die Couch?«

»Auf die Couch!«

Franz setzte sich vorsichtig. Die Couch fühlte sich überraschend hart an. Hart wie die Stunden, die von den Patienten darauf verbracht wurden, dachte er, und trotzdem aber nicht ganz ungemütlich. Wenn der Professor neben ihm eine Bewegung machte, spürte er sie sofort. Es war ein bisschen, als ob sie nun auch körperlich miteinander verbunden wären.

Die ersten Züge rauchten sie schweigend. An der Decke hatte sich der Weberknecht wieder zu bewegen begonnen, tastete sich ein paar Schritte aus seiner Ecke heraus, lief jedoch gleich wieder zurück und schien endgültig zu erstarren.

Franz hatte beim ersten Zug einen heftigen Hustenreiz unterdrücken müssen, beim zweiten einen Brechreiz und jetzt, beim dritten, wurde ihm kurz schwindelig, und er hatte das Gefühl, langsam nach vorne aufs Parkett zu kippen. Irgendwie schaffte er es aber doch, sich eine gewisse innere Aufrichtung zurechtzubalancieren, und von da an ging es besser. Und schon nach dem ungefähr siebten oder achten Zug spürte er neben dem leichten Lähmungsgefühl in der Zunge ein sich tief in seinem Inneren ausbreitendes, ofenwarmes Wohlbefinden.

»Ich habe natürlich gehört, was Herrn Trsnjek widerfahren ist«, sagte der Professor und räusperte sich in seine kleine Faust hinein. »Es tut mir sehr leid.«

»Ja«, sagte Franz nach einer Weile. »Jetzt bin ich der Trafikant.«

Ein gelbliches Dämmerlicht breitete sich im Zimmer aus. Draußen rauschte die Kastanie, und in dem Stückchen Himmel über dem Hof zogen dunkelgraue Wolken auf. Freud zog sich einen Deckenzipfel über den Schoß. »Und nun wird es auch noch kalt!«, sagte er mürrisch und rieb seine Füße aneinander.

»Sie sollten sich etwas Warmes anziehen, Herr Professor. Eine Wollweste vielleicht. Oder einen Janker. Oder Sie könnten diesen Kachelofen einheizen. Und überhaupt würde es insgesamt nicht schaden, ein bisschen mehr auf die Gesundheit zu achten. In Ihrem Alter meine ich!«

Der Professor winkte schwach ab: »Mein Alter hat jede Gesundheit längst hinter sich gelassen.«

»Ich erlaube Ihnen nicht, so etwas zu sagen, Herr Professor!«, sagte Franz und erhob streng seinen Zeigefinger.

»Kindern und Greisen sollte man noch viel mehr erlauben. Aber lass uns von ganz anderen Beschwerden sprechen: Wie geht es deiner böhmischen Dulcinea?«

»Sie heißt nicht Dulcinea, sondern Anezka, und es ist vorbei. Oder besser gesagt: Es hat nie angefangen. Vielleicht war das Ganze sowieso nur ein riesengroßer Irrtum.«

»Die Liebe ist immer ein Irrtum.«

»Sie ist jetzt mit einem Nazi zusammen. Ein Offizier. Oder General. Oder was weiß ich was. Jedenfalls einer von der SS, ganz in Schwarz und mit silbrigen Totenschädeln am Gürtel ...«

Franz stockte. Plötzlich spürte er den Blick des alten Mannes auf sich. Sie sahen sich einen Augenblick schweigend an. Seine Augen, dachte er, diese seltsamen, braunen, hellen, glänzenden Augen sehen aus, als ob sie nicht mitaltern würden mit dem Rest des Körpers. Freud öffnete den Mund und ließ ein wenig Rauch zwischen den Zähnen entweichen, der an den Nasenflügeln vorbei, unter den Brillengläsern hindurch und über die Stirn langsam nach oben kroch.

»Als ich damals in Timelkam in den Zug gestiegen bin, hat mir das Herz wehgetan«, fuhr Franz fort, »und als mir die Anezka zum ersten Mal davongerannt ist, da hätten zehn Doktoren nicht ausgereicht, den Schmerz wegzubehandeln. Aber immerhin hab ich ungefähr gewusst, wohin ich gehe und was ich will. Jetzt ist der Schmerz fast weg, aber ich weiß gar nichts mehr. Ich komme mir vor wie ein Boot, das im Gewitter seine Ruder verloren hat und jetzt ganz blöd von da nach dort treibt.«

»Da haben Sie es eigentlich viel besser, Herr Professor«, fügte er nach einem kurzen Schweigen hinzu. »Sie wissen genau, wo Sie hingehen.«

Freud seufzte. »Immerhin kommen mir die meisten Wege schon irgendwie bekannt vor. Aber eigentlich ist es ja gar nicht unsere Bestimmung, die Wege zu kennen. Es ist gerade unsere Bestimmung, sie *nicht* zu kennen. Wir kommen nicht auf die Welt, um Antworten zu finden, sondern um Fragen zu stellen. Man tapst sozusagen in einer immerwährenden Dunkelheit herum, und nur mit viel Glück sieht man manchmal ein Lichtlein aufflammen. Und nur mit viel Mut oder Beharrlichkeit oder Dummheit oder am besten mit allem zusammen kann man hie und da selber ein Zeichen setzen!«

Er verstummte, senkte den Kopf und blickte dann zum Fenster. Es hatte leicht zu nieseln begonnen. Die Blätter der Kastanie glänzten nass. Irgendwo knallte eine Tür, und jemand rief etwas Unverständliches. Danach war es wieder still.

»Diese Kastanie ...«, murmelte Freud. »Wie oft habe ich sie schon blühen gesehen ...«

»Gibt es in London auch Kastanien, Herr Professor?«

»Ich weiß es nicht.« Freud zuckte mit den Schultern und sah Franz an. An den Rändern seiner Brillengläser konnte Franz sich selbst gespiegelt erkennen: ein dünnes Männlein mit grotesk verzogenen Gliedmaßen. Plötzlich ging ein Ruck durch den Körper des Professors, er steckte seine Zigarre zwischen die Zähne, stieß sich mit beiden Fäusten von der Couch ab, kam irgendwie in die Höhe und stand eine Sekunde leicht wankend da. Dann ging er mit knacksenden Kniegelenken zur Zimmerecke, wo hoch über ihm der Weberknecht hockte.

»Warum um alles in der Welt darf der hierbleiben, während ich, der weltberühmte Begründer der Psychoanalyse, gehen muss!«, stieß er wütend hervor, reckte seinen Arm in die Höhe und schüttelte dem Tier drohend seine Faust entgegen. Der Weberknecht erzitterte kurz, hob ein Bein, setzte es wieder ab und bewegte sich nicht mehr. Freud blickte ihn eine Weile herausfordernd an. Schließlich ließ er seinen Arm sinken und starrte stumm gegen die vom Rauch angebräunte Tapete.

»Ich glaube, so ein Weberknecht hat es bestimmt auch nicht immer leicht, Herr Professor!«, sagte Franz vorsichtig in die Stille hinein. Freud sah ihn an, als hätte er soeben etwas völlig Neues entdeckt, eine völlig unbekannte Lebensform, die sich während einer langen Abwesenheit auf seiner Couch ausgebreitet hatte. Mit einer müde flatternden Handbewegung winkte er ab. Dann nahm er einen Zug von seiner fast schon erloschenen Hoyo, bewegte sich mit kleinen Schritten zur Couch zurück und ließ sich langsam, wie nach einer ungeheuren Anstrengung, hineinsinken. Mittlerweile war es im Zimmer noch dämmriger geworden. Draußen grollte von weit her Donner heran, und die Kastanie schien sich in der Enge des Hofes zu ducken. Im Haus war es fast vollkommen still, nur hie und da drang ein gedämpftes Geräusch aus einem der entfernt gelegeneren Zimmer zu ihnen.

Franz spürte die Atemzüge des Professors neben sich, manchmal begleitet von einem leisen Räuspern. Das Aneinanderreiben der Professorensocken war zu hören, kurz darauf eine Folge knackender Geräusche aus dem Parkettboden, das Knistern der Zigarrenglut. Dann wieder Stille.

»Übrigens hab ich mir doch keines Ihrer Bücher gekauft«, sagte Franz. »Erstens sind sie ziemlich teuer, zweitens unglaublich dick, und drittens ist in meinem Kopf sowieso gerade kein Platz für solche Sachen.«

»Allerdings habe ich Ihren Rat befolgt und angefangen, meine Träume aufzuschreiben«, fügte er hinzu. »Die meisten davon sind wahrscheinlich Blödsinn, aber ein paar komische sind schon dabei. Ich meine nicht zum Lachen komisch, sondern eher so merkwürdig komisch. Ich weiß nicht, wo die überhaupt alle herkommen. Weil ich mir nämlich nicht vorstellen kann, dass in meinem Kopf solche merkwürdigen Sachen ganz von alleine heranwachsen können. Oder was glauben Sie, Herr Professor?«

Freud murmelte etwas Unverständliches und streckte seine Beine von sich. Franz kicherte: »Jedenfalls schreibe ich sie jeden Tag auf einen Zettel und klebe sie an die Auslage. Ob das was bringt, kann man noch nicht sagen. Für mich selber, meine ich. Aber der Trafik tut es gut. Die Leute bleiben stehen, drücken ihre Nasen gegen die Scheibe und lesen, was mir in der Nacht durch den Schädel geweht ist. Und wenn sie schon einmal stehen geblieben sind, kommen sie manchmal auch herein und kaufen etwas.«

»Genau so ist das, Herr Professor!«, fuhr er nach einer Pause fort und musste wieder kichern. Eine warme Welle von Wohligkeit durchströmte seinen Körper. Gleichzeitig war ihm ein bisschen schwindlig. Aber angenehm schwindlig, so als ob er nicht auf einer alten Couch, sondern auf dem noch viel älteren, morschen, schon halb im See versunkenen Süduferersteg säße, der immer so schön schwankte über den anrollenden Dampferwellen. Vielleicht lag es ja an seiner an den sonnigen Ufern des Flusses San Juan y Martínez geernteten und von zarten Frauenhänden gerollten Hoyo, dachte er und betrachtete eine Weile deren zarte Blätterhaut. Oder an der fast unwirklichen Nähe des Professors. Vielleicht lag es aber auch an irgendetwas ganz anderem, dachte er weiter, wobei es eigentlich völlig egal war, woher jetzt auf einmal diese warme Wohligkeit gekommen war: wohlig ist wohlig und aus. Mehr gab es darüber nicht nachzudenken. Gegen die Fensterscheiben patschten jetzt einzelne große Regentropfen, die vom Wind in glitzernden Schlieren nach allen Richtungen auseinandergetrieben wurden. In den Fenstern der gegenüberliegenden Hofseite gingen vereinzelt Lichter an.

»Sie werden es nicht wissen, Herr Professor«, sagte Franz und drehte langsam seine Zigarre zwischen den Fingern, »aber der Otto Trsnjek war gar kein Raucher. Der Otto Trnsjek war ein Zeitungsleser. Zeitungsleser und Trafikant. Wobei das für ihn ja quasi dasselbe war. Eigentlich komisch: Da sitzt einer jahrzehntelang in seiner Trafik und will nicht rauchen. Sitzt da, weiß praktisch alles über Zigarren, kennt ihre Herkunft und Qualitäten und Merkmale bis ins kleinste Detail und kann über ihr Innenleben erzählen wie ein Doktor über das Innere von einer Leich' – hat aber nicht einmal das kleinste Futzelchen von einer Idee, wie sie eigentlich schmecken.«

»Das ist doch wirklich komisch«, wiederholte er noch einmal nachdenklich, nachdem er ein langes Stück Asche in den zwischen seinem und des Professors Oberschenkel platzierten Bleikristallbecher tippte. »Natürlich verstehe ich vom Rauchen auch noch nicht viel. Aber wenn Sie zurückkommen, bin ich schon weiter damit, das verspreche ich Ihnen. Und Sie kommen ja zurück. In jedem Fall und ganz bestimmt kommen Sie zurück. Weil Heimat ist Heimat, und Zuhause ist Zuhause. Und irgendwann wird sich der Hitler wieder beruhigt haben. Und alle anderen auch. Und alles wird wieder so sein wie früher. Oder was meinen Sie, Herr Professor?«

Freud machte ein murrendes Geräusch, und Franz ließ sich noch ein bisschen tiefer in die Polster sinken.

»In England soll es mehr regnen als im Salzkammergut. Also praktisch andauernd. So etwas kann ja nicht gesund sein für so einen etwas angereiften Herrn, wenn Sie mir den Ausdruck nachsehen wollen. Jedenfalls müssen Sie irgendwann einmal meine Mutter kennenlernen. Ich glaube nämlich, dass Sie beide sich gut vertragen würden. Die Mama versteht nämlich auch jede Menge von den Leuten und ihren Blödsinnigkeiten, da hätten sie genug zu reden miteinander. Außerdem kann sie Erdäpfelstrudel backen. Und zwar die einzig echten und richtigen: in der Eisenpfanne und im Butterschmalz gebacken, mit oder ohne Grammeln, mit oder ohne Linsen, ganz wie es Ihnen gustiert ...«

Franz verstummte. Es kam ihm vor, als hätte er noch nie in seinem Leben so viel geredet. Und vielleicht war das ja auch so. Früher war ihm das Nichtreden immer als äußerst erstrebenswert erschienen, was sollte man sich schon großartig erzählen in der Umgebung von Bäumen, Schilfhalmen oder Algen? Und die Mutter hatte sowieso nie gerne unnötige Worte gemacht. Die meisten Abende hatten sie schweigend zusammen in der Hütte gesessen, und das war auch schön so. Die Mutter. Wo war sie jetzt?

Was machte sie? Ob sie gerade an ihn dachte? An ihren kleinen Franzl, der eigentlich gar nicht mehr so klein war? Franz blinzelte. Draußen prasselte der Regen gegen die Scheiben. Die Polster in seinem Rücken waren weicher als alles, was er bisher gespürt hatte. Mit Ausnahme der mütterlichen Arme. Und Anezkas Bauch. Und ihrer Kniekehlen. Und ihrer Schulterblatthügel. Und ihrer ganzen anderen Körperteile. In seinem Magen gluckerte es leise. Der Kachelofen in der Ecke antwortete mit einem leisen Knacken. An der Wand schwebte ein Schatten entlang. Auch in der Vitrine bewegte sich etwas. Ein etwa daumengroßer, hölzerner Krieger stellte sich auf die Zehenspitzen, hob langsam seine Hand und winkte wie zum Abschied. »Das ist natürlich Blödsinn«, sagte Franz leise. Oder dachte er laut. Noch nie in seinem Leben hatte er sich so müde und schwer gefühlt.

»Herr Professor?«, fragte er. Seine Stimme zitterte leicht, er hielt sich die Zigarre vors Gesicht und sah, wie die Glut vor seinen Augen verschwamm. »Sie kommen doch zurück, oder …?«

Der Professor gab keine Antwort, und als Franz ihn anblickte, sah er, dass er eingeschlafen war. Sein Atem ging gleichmäßig, beide Hände lagen ruhig in seinem Schoß, der Stumpen zwischen seinen Fingern war längst erloschen. Franz legte seine Hoyo im Aschenbecher ab und beugte sich über den Alten. Er wirkte unglaublich zart. Wie die Figuren in seiner Vitrine, dachte Franz. So als könnte er, würde er im Schlaf von der Couch auf den Parkettboden rutschen, in tausend Stücke brechen. Oder einfach zu Staub zerfallen. Sein Kopf war nach hinten gekippt, der Mund stand leicht offen. Seine Haut sah aus wie vergilbtes Papier, tausendmal zerknüllt und wieder auseinandergefaltet. Er lag völlig ruhig, nur die Augen zuckten immer noch unter den Lidern hin und her, als wollten sie sich nicht abfinden mit der Stille und der Dunkelheit, die sie umgaben. Franz nahm ihm den kalten Rest der Zigarre aus der Hand und legte ihn in den Aschenbecher. Behutsam stopfte er einen der kleineren Polster zur Stütze hinter den Nacken, zupfte mit spitzen Fingern seinen geknickten Hemdkragen zurecht, und blies sachte ein paar Ascheflöckchen von der Krawatte. Dann nahm er die Decke, breitete sie über seinen Körper und strich mit der Hand über die Wolle. Er verharrte noch fast eine Minute an der Couch und beobachtete die ruhigen Atemzüge des Professors. Als er das Zimmer schließlich auf Zehenspitzen verließ, blickte er noch einmal zur Decke hoch. Der Weberknecht war verschwunden.

Am Nachmittag des nächsten Tages – es war der 4. Juni des Jahres 1938 – verließ Professor Dr. Sigmund Freud im schütteren Kreise seiner engsten Vertrauten und Familienangehörigen Wien, die Stadt, in der er fast achtzig Jahre seines Lebens verbracht hatte, um mit dem Orient Express über Paris in sein Londoner Exil zu gelangen. Die Formalitäten waren erledigt. Die Ausreisegenehmigungen waren erteilt, die Reichsfluchtsteuer, fast ein Drittel des gesamten Familienvermögens, war bezahlt, und ein Großteil des Haushalts, der Möbel und der Antiquitäten war entweder eingeschifft oder wartete in einem Lager auf die Überführung nach England. Wieso trotzdem an die zwanzig Koffer, Kisten und Taschen mit auf die Reise kamen, war dem Professor ein Rätsel, wie übrigens auch die Tatsache, dass das meiste davon ihm persönlich gehören sollte. Viel zu viel Besitz für einen alten Mann, dachte er, während er den Reisetag wie im Traum an sich vorbeiziehen sah, nur unnützer Ballast auf der letzten Strecke eines langen Weges. Anna hatte das Kommando. Sie hatte die Geschehnisse im Blick und die Dinge in der Hand. Sie hatte die beiden großen Taxis zum Westbahnhof bestellt, sie organisierte die Gepäckträger, kaufte die Fahrkarten und schob dem Schalterbeamten ein paar Münzen für die Sitzplatzreservierung zu. In ihrer Handtasche hatte sie Pässe, Visa und sonstige Unterlagen aller Mitglieder der kleinen Reisegesellschaft verwahrt, und in einem großen Korb schleppte sie einige Stücke kaltes Selchfleisch, einen Topf eigenhändig zubereiteter Krautfleckerln sowie einen beachtlichen Haufen in Geschirrtücher eingewickelter und immer noch warmer Semmelknödel mit. Ganz unten im Korb, hatte sie zudem eine Flasche Wermuth und winzige Gläschen versteckt. Für die ersten Meter nach der Grenze, hatte sie sich gedacht, ein Schluck auf die Freiheit. Als das Grüppchen, begleitet von den neugierigen Blicken und dem vielstimmigen Getuschel der Leute, die Ankunftshalle durchquerte, brach Annas Mutter in Tränen aus. Anna reichte ihr ein Taschentuch, streichelte ihr über den Kopf und bedeutete ihr dann unmissverständlich, sich zusammenzureißen und einfach weiterzugehen. Sie hatte Wien nie so geliebt wie ihre Eltern. Allerdings auch nicht so gehasst. Im Grunde genommen hatte sie gar keine nennenswerten Gefühle für ihre Geburtsstadt, und die Ausreise war für sie nicht mehr und nicht weniger als die letztendlich doch noch gelungene Flucht vor den Nationalsozialisten. Am Bahnsteig herrschte ein großes Gedränge. Es wurde geschrien, geheult und gelacht, Menschen lagen sich in den Armen, küssten oder stritten sich ein letztes Mal, riefen sich durch die offenen Zugfenster etwas zu, fanden sich laut durcheinanderredend zu kleinen Gruppen zusammen oder standen alleine neben ihrem Koffer, mit verwirrtem Blick und einer hellblauen Fahrkarte in der Hand.

Professor Dr. Sigmund Freud wollte aus irgendwelchen Gründen partout als Letzter einsteigen, doch seine Tochter schob ihn mit sanfter Gewalt vor sich her, die eisernen Stufen hinauf und in den Waggon hinein. »Lass mich, ich kann das alleine!«, sagte er, und das waren seine letzten Worte auf Wiener Boden.

Anna blickte noch einmal über den überfüllten Bahnsteig. Das Stimmengewirr der Menschen schien unter der hohen Hallendecke immer weiter anzuschwellen, darüber gellte schrill die Pfeife zur Abfahrt. Ein verspäteter Reisender hastete zu seinem Waggon, ein paar Halbwüchsige fielen sich theatralisch in die Arme, Blumen, Hüte und Zeitungen wurden geschwenkt, und überall leuchtete aus dem Durcheinander das Rot der Hakenkreuzarmbinden heraus. Als sich Anna endgültig abwandte, um einzusteigen, wurde ihr Blick noch einmal abgelenkt. Ganz hinten am Eingang zur Ankunftshalle, inmitten des dichtesten Gedränges, stand regungslos der junge Trafikant. Er stand mit dem Rücken zur Wand, sein Gesicht war ungewöhn-

lich weiß, er schien in ihre Richtung zu blicken, doch
seine Augen waren auf die Entfernung nicht zu erkennen. Die Pfeife schrillte erneut, der Schaffner gab das
Signal zur Abfahrt, und Anna stieg ein. Nachdem sich
die Tür hinter ihr geschlossen hatte und der Waggon mit
einem schwerfälligen Rucken anrollte, atmete sie tief aus
und lehnte ihre Stirn gegen die Scheibe. Das Glas war
angenehm kühl, und als der Zug den Wiener Westbahnhof verließ, schien ihr die Nachmittagssonne direkt ins
Gesicht.

Es ging jetzt wieder einigermaßen. Irgendwie geht es
ja immer. Zumindest schien das Schlimmste überstanden, das tiefste Tal durchschritten und die allergemeins-
ten Unterleibsschmerzen überwunden zu sein. Sogar die
Halluzinationen waren fast verschwunden. Vor nicht einmal eineinhalb Tagen war Franz auf Zehenspitzen übers
Parkett im Wohnungslabyrinth der Familie Freud geschlichen, hatte die Eingangstür gesucht, schließlich auch gefunden und so behutsam wie möglich hinter sich ins
Schloss gezogen. Schon während er zum Abschied mit
der Fingerspitze den Namenszug des Professors auf dem
Messingschildchen neben der Ordinationsklingel nach-
zeichnete, war ihm irgendwie komisch im Bauch geworden, und als er kurz darauf am unteren Treppenabsatz angekommen war, hatte sich dieses komische Bauchgefühl
bereits in eine überwältigende Übelkeit verwandelt. Mit
dem tapsigen Gang eines Hundewelpen bewegte er sich
durch den Hausflur, wobei er sich für einen Moment im
Stollen des alten Salzbergbaus verloren glaubte, den er vor

vielen Jahren mit der Volksschulklasse im Rahmen eines Tagesausfluges nach Gmunden besucht hatte. Damals hatte er immer wieder heimlich an den Stollenwänden geleckt, um das Salz der tiefen Erde zu kosten, war aber jedes Mal vom staubigen Geschmack der Steine enttäuscht worden. So schnell diese Erinnerungen gekommen waren, so schnell lösten sie sich nun wieder auf, und Franz wankte ins Freie. Der Regen prasselte ihm ins Gesicht, die Berggasse hatte sich in einen Sturzbach verwandelt, und aus den Kanaldeckeln blubberte eine braune Suppe. Die Bank war leer. Doch als Franz sich von der Türklinke, die ihm kurz als Haltegriff gedient hatte, abstieß, um sich auf den Heimweg zu machen, bemerkte er hinter dem dichten Regenschleier in einer Toreinfahrt auf der anderen Straßenseite eine schattenhafte Bewegung. Weiter geschah jedoch nichts. Vielleicht lag es am Regen, vielleicht aber auch am staatspolizeilichen Auftrag, einen Eingang zu bewachen und keinen Ausgang – Franz konnte es recht sein, und so ging er nach Hause, ein bisschen verkrümmt und schlingernd, ansonsten jedoch nicht weiter behelligt.

Die Nacht und den nächsten Vormittag hatte er im Bett verbracht, unter ihm eine schwankende Tiefe und über ihm, auf dem Hintergrund der zerschlissenen Deckentapete, eine undeutliche Ansammlung merkwürdiger Gestalten, die wahlweise ihre Leiber aneinanderrieben, ihre Glieder umeinander schlangen oder ihre Mäuler aufeinanderpressten, ehe sie wieder auseinanderstoben und in der stickigen Zimmerluft verpufften. Manchmal waren seine Gedanken hinaus in den Verkaufsraum gewandert,

zu den still in ihren Kisten ruhenden Zigarren, unter ihnen
einige der Marke Hoyo de Monterey, was ihn jedes Mal
gezwungen hatte, seinen Kopf in den direkt neben dem
Bett platzierten Waschkübel zu stecken und den Dingen
ihren freien Lauf zu lassen. Um die Mittagszeit wurde es
dann etwas besser, und am Nachmittag um halb drei stieg
er schließlich mit immer noch etwas weichen Beinen aus
dem Bett und machte sich zu Fuß auf den Weg zum Wiener Westbahnhof.

Etwa eine Dreiviertelstunde später stand er am Bahnsteig inmitten des dichtesten Gedränges ganz hinten am
Eingang zur Bahnhofshalle und beobachtete, wie der
Professor in den Zug einstieg. Die Entfernung war zu
groß, um seine Augen zu erkennen, aber er konnte sehen,
wie seine Kiefer mahlten, als ihn seine Tochter die eisernen Stufen hinaufschob. Seine linke Hand umklammerte
die Haltestange, die rechte hielt den Hut auf dem Kopf
fest. Er wirkte in diesem Moment so schmal und leicht,
dass es Franz nicht gewundert hätte, wenn Anna ihn auf
den Arm genommen und wie ein Kind hineingetragen
hätte.

Pünktlich nach Fahrplan um 15:25 fuhr der Zug an,
nahm schnell Fahrt auf und verließ den Bahnhof in Richtung Westen. Franz schloss die Augen. Wie viele Abschiede kann ein Mensch eigentlich aushalten, dachte er.
Vielleicht mehr, als man denkt. Vielleicht keinen einzigen. Nichts als Abschiede, wo man auch bleibt, wohin
man auch geht, das hätte einem jemand sagen sollen. Für
einen Moment hatte er das Bedürfnis, sich einfach nach
vorne fallen zu lassen und mit dem Gesicht auf dem

Bahnsteigtrottoir liegen zu bleiben. Ein liegengelassenes Stück Gepäck, verloren, vergessen, nur noch umtrippelt von neugierigen Tauben. Aber das ist doch völliger Blödsinn, dachte er wütend, schüttelte den Kopf und öffnete wieder die Augen. Ein letztes Mal blickte er über die Gleise, die im Sonnenlicht blitzten. Dann drehte er sich um und ging durch die Ankunftshalle zurück und hinaus in die Wiener Nachmittagshelligkeit. Der Himmel war strahlend blau, der Regen hatte den Asphalt reingewaschen, und in den Büschen sangen die Amseln. Vor dem Bahnhofseingang stand die Gaslaterne, an der Franz sich damals gleich nach seiner Ankunft in Wien festklammern musste. Wie lange war das her? Ein Jahr? Ein halbes Leben? Ein ganzes? Er musste über sich selbst lachen, über diesen komischen Buben, der hier seinerzeit an der Laterne gehangen hatte, mit dem harzigen Waldgeruch in den Haaren, einem Batzen Dreck an den Schuhen und ein paar verdrehten Hoffnungen hinter der Stirn. Und plötzlich wurde ihm bewusst, dass es diesen Buben nicht mehr gab. Weg war der. Abgetrudelt und untergegangen, irgendwo im Strom der Zeit. Wobei das alles ja schon recht schnell gegangen war, dachte er, vielleicht sogar insgesamt ein bisschen zu schnell. Irgendwie fühlte es sich an, als wäre er vor der Zeit aus sich selbst herausgewachsen. Oder einfach herausgetreten aus dem eigenen Ich, wenn man das so sagen konnte. Das Einzige, was blieb, war die Erinnerung an einen schmalen Schatten unter einer Gaslaterne. Er atmete tief ein. Die Stadt roch nach Sommer, Pferden, Diesel und Teer. Über den Gürtel bimmelte eine Straßenbahn heran. Aus einem der Seitenfenster flatterte ein Hakenkreuzfähnchen. Er musste an die Mutter denken, die womöglich jetzt gerade auf einem sonnenwarmen Steg saß und ins flimmernde Ufergeplätscher hinunterweinte. Er dachte an Otto Trsnjek, dessen Krücken nutzlos in der Verkaufsraumecke lehnten. Und er dachte an den Professor, der die Stadtgrenze längst zurückgelassen haben musste und wahrscheinlich schon irgendwo über die niederösterreichischen Erdäpfelfelder in Richtung London sauste. Vielleicht könne man da und dort ein Zeichen setzen, hatte der Professor gesagt, ein kleines Licht in der Dunkelheit, mehr könne man nicht erwarten. Aber auch nicht weniger, dachte Franz und hätte fast laut aufgelacht. Die Straßenbahn bimmelte vorbei und bog in die Mariahilferstraße ein. Das Fähnchen am Fenster sah aus, als ob es tanzte.

»Eines ist ja schon irgendwie komisch: Je länger sich die Tage ziehen, desto kürzer kommt einem das Leben vor. Ein Widerspruch, aber so ist es halt. Und jetzt frage ich Sie: was tun die Leut, um sich das Leben zu verlängern und die Tage zu verkürzen? Sie reden. Sie reden, plappern, plaudern und erzählen, und zwar praktisch ohne jede Unterbrechung. Und auch wenn du manchmal glaubst, jetzt ist es endlich einmal ruhig, sagen wir zum Beispiel in der Kirch' oder noch besser: auf dem Friedhof – bitteschön! – fangt schon wieder irgendjemand an zu palavern! Wahrscheinlich bleibt sich das sogar im Himmel oder unter der Erd' gleich: Einer hat immer die Goschen offen. Aber ich sage Ihnen noch eines: Das meiste, von dem, was den Leuten den ganzen Tag so aus

dem Gesicht fällt, kannst du gleich auf den Mist schmeißen! Weil nämlich zwar alle reden, aber keiner was weiß.
Keiner kennt sich aus. Keiner ist im Bilde. Keiner hat eine
Ahnung. Wobei: Heutzutage ist es vielleicht sowieso besser, nicht allzuviel Ahnung zu haben. Die Ahnungslosig-
keit ist ja praktisch das Gebot der Stunde, das Nichtwissen
das Leitmotiv der Zeit. Da kann man auch schon einmal
hinschauen, ohne was gesehen zu haben. Oder hinhor-
chen und trotzdem nichts verstehen. *Die Wahrheit ist die
Wahrheit und aus*, so sagt es sich für gewöhnlich. Ich aber
sage: so ist es eben nicht! Zumindest bei uns, in unserer
seligen Wienerstadt, gibt es so viele Wahrheiten wie
Fenster, hinter denen Leut' sitzen, die irgendetwas gesehen oder gehört oder gerochen oder immer schon gewusst haben wollen. Und was für den einen richtig ist,
das ist für den anderen die größte Trottelhaftigkeit auf
Gottes Erden und umgekehrt. Und jetzt geben S' mir
bitte einen Liter Milch, oder besser gleich zwei, weil was
man hat, das hat man! Das Einzige, was übrigens in der
Angelegenheit praktisch unstrittig ist: Es muss letzte
Nacht gewesen sein. Und zwar so zwischen drei und vier.
Das ist die Stunde der Ratten. Da haben die Politischen
ausgeschrien, die Besoffenen nach Haus gefunden und
die Milchlieferer sind noch nicht unterwegs. Was ein an-
ständiger Mensch ist, der liegt um die Uhrzeit im Bett.
Oder sitzt eben hinterm Fenster und stiert ins Dunkle
hinaus. Aber natürlich: ein bisserl gehen die Meinungen
schon auseinander. Die einen sagen, es war eher so um
drei herum, die anderen meinen wiederum, es muss auf
vier gegangen sein, weil es über den Dächern angeblich

schon silbrig geworden ist. Ich aber behaupte: Einen Dreck war es silbrig! Es war stockdunkel, nicht einmal ein Zipferl vom Mond war zu sehen, die Straßen waren leer, und dementsprechend war alles hergerichtet für ein lichtscheues Gesindel. Wobei: Gesindel ist ja heutzutage relativ. Wer kann denn in die Köpfe von den Leuten hineinschauen? Die Absichten und Antriebe von einem Menschenhirn bleiben letztlich unergründlich, und was gestern noch ein Gesindel war, das setzt sich heute einfach einen anderen Hut auf und steht plötzlich als hochanständiger Mensch da. Aber bitte, man will ja nichts gesagt haben. Geben S' mir bitte gleich auch noch zwanzig Deka Butter und drei Kilo Erdäpfel, aber nur die kleinen, mehligen, für einen ordentlichen Knödelteig. Also: Zwischen drei und vier ist es passiert. Und es war nur einer. Eine Person allein. Natürlich ein Mann, weil nämlich eine Frau auf eine derartige Hirnrissigkeit nicht einmal eine einzige Sekunde verschwenden würde. Die einen sagen, er war eher mittelalt. Die andern schwören Stein und Bein, dass er jung gewesen sein muss, weil er so schnell rennen hat können. Wie der Blitz soll der angeblich vom Morzinplatz herunter und die Berggasse hinaufgeschossen sein, nachdem alles vorbei war. Ein verwegener Bursch. Aber auch ein bisserl deppert, wenn Sie mich fragen. Wo die Verwegenheit daherkommt, kann nämlich die Blödheit nicht weit sein. Es ist ja nur das reine Glück, dass sie den nicht gleich erwischt haben. Praktisch das Glück des Depperten. Das muss man sich ja auch erst einmal vorstellen: Da lungern überall die Geheimen herum; an jedem Eck, vor jedem Geschäft, im Park, im Wirtshaus und sogar in der Kirch', wo man hinschaut, sitzt oder steht einer herum – aber auf das eigene Hauptquartier vergessen s'! Wobei: So ganz vergessen haben sie es ja nicht. Immerhin sind ja dann doch irgendwann ein paar von denen angerannt gekommen. Aber erst nachdem es schon viel zu spät, der Morgen angebrochen und sozusagen die Flagge gehisst war. Apropos vergessen: Haben S' einen guten Quargel? Nein, der ist nichts, der riecht mir nicht. Ein Quargel muss riechen, sonst ist es ja kein Quargel. Nehmen S' ihn wieder weg, packen S' mir zwei Bier ein und schreiben S' mir dann die Rechnung, bittschön. Also, wie gesagt: stockdunkel, keine Sterne, kein Mond, kein Silberstreif über der Wienerstadt. Und deswegen kann schlussendlich auch keiner von den ganzen Fensterhockern wissen, wie sich die Angelegenheit genau abgespielt hat. Schauen tun die Leut' ja nur aus reiner Boshaftigkeit. Weil aber die Boshaftigkeit einerseits neugierig, andererseits aber auch blind macht, sieht man eben nur das, was man sehen will! Unzweifelhaft jedenfalls ist, dass er sich, unbehelligt von der Gestapo und seinem eigenen Gewissen, direkt vor dem Hotel Metropol an einer von den drei großen Standartenmasten zu schaffen machen hat können. Die kennen Sie ja: die drei Hakenkreuzbanner, die den halben Platz verdunkeln und immer so penetrant knattern im Wind. Den mittleren hat er sich vorgenommen. Hat einfach die Leine gekappt und das schöne Hakenkreuz von seiner lichten Höh' heruntergezogen und auf die staubige Erd' fallen lassen. Ganz faltig und verdreckt ist es dagelegen, wie man es später gefunden hat, schad' um den schönen Stoff. Angeblich hat er dann ein Packerl unterm Hemd hervorgezogen. Andere wiederum behaupten, ein solches Packerl hätte es nie gegeben, und er hätte das corpus delicti einfach so unverpackt mit sich herumgetragen. Wenn Sie mich fragen, sind solche Feinheiten im Endeffekt egal. Das Einzige, was zählt, sind die Wirklichkeiten und die schauen so aus: Die Leine hat er gekappt, das Adolfkreuz hat er in den Dreck geschmissen und stattdessen hat er seine Sach' – ob aus einem Packerl oder nicht – festgemacht, aufgezogen und gehisst wie die heilige Flagge des Morgenlandes. Dann war er weg. Wie der Blitz. Dass er noch in den Nachthimmel hinauf salutiert haben soll, halte ich für ein Gerücht, wenn nicht gar für die blanke Übertreibungsangeberei von einigen wenigen Fensterhockern. Auf alle Fälle ist die Gestapo erst angerannt gekommen, als es heller Morgen war und sich dementsprechend schon halb Wien sein schadenfrohes Maul zerreißen hat können. Und jetzt muss man sich natürlich einmal die Gesichter von den Geheimen vorstellen! Praktisch eine einzige Entgleisung. Weil nämlich: am mittleren Fahnenmast, ganz oben an der Spitze und beschienen von den ersten Strahlen der Morgensonne, ist eine Hose gehangen. Und zwar eine braune Herrenhose mit Bundfalten, soweit man das von unten hat erkennen können. Die ist einfach so da oben gehangen, ein bisserl zerknittert, ein bisserl ausgebeult, ansonsten tadellos, also eigentlich unauffällig. Aber bekanntlich steckt ja gerade im Unauffälligen oft auch das Unerhörte. Und deswegen ist dann unten am Boden gleich das Theater losgegangen. Jeder hat sich mit jedem gestritten, und alle haben alle angeschrien, und vor lauter Aufregung hat man ziemlich lang nicht daran gedacht, die Hose von da oben herunterzuholen. Als dann aber endlich doch einer auf die Idee gekommen ist, an der Leine zu ziehen, ist etwas wirklich Bemerkenswertes passiert. Genau in dem Moment ist nämlich ein Wind aufgekommen. Ein plötzlicher Windstoß, eine Bö, ein Blaserl, wie auch immer Sie das nennen wollen. Jedenfalls hat dieser plötzlich einsetzende Wind sich in der Hose verfangen und sie sozusagen aufgerichtet. Und jetzt kann man sich natürlich vorstellen, wie sich die geheimen Gesichter endgültig in die verschiedensten Ausdrucksvariationen blöden Erstaunens oder erstaunter Blödigkeit verformt haben. Weil: Das war keine normale Hose. Es war praktisch nur eine halbe. Eine einbeinige Hose war das. Das andere Hosenbein war ungefähr auf Kniehöhe abgeschnürt. Der Wind ist also in diese einbeinige Hose hineingefahren, genau in dem Moment, wo man sie herunterholen hat wollen. Und da hat sich vor aller Augen etwas tatsächlich Merkwürdiges abgespielt: Eine Weile ist die Hose also einfach so herumgeflattert, aber dann, ganz plötzlich, ist sie stillgestanden, ist praktisch waagrecht in der Luft gelegen. Und für einen kurzen Augenblick hat dieses braune, zerknitterte und schon ein bisserl ausgebeulte Hosenbein dort oben im Himmel ausgesehen wie ein Zeigefinger. Wie ein riesiger Zeigefinger, der den Leuten einen Weg weist. Wohin der genau gezeigt haben soll, bleibt natürlich allerhöchstens Spekulation. In jedem Fall aber weg, wenn Sie mich fragen, weit, weit weg. So, und jetzt sind S' so lieb und geben S' mir noch ein Taferl Schokolad'. Mit Nüssen. Und zahlen möcht ich dann gern beim nächsten Mal, wenn's Ihnen nicht pressiert. Ich danke recht schön, habe die Ehre und auf Wiederschauen!«

Die ganze Nacht über war Frau Huchel wachgelegen und hatte in die tiefe Dunkelheit zwischen den Deckenbalken hinaufgestarrt. Schon im Laufe des gestrigen Abends hatte sich eine merkwürdige Unruhe in ihr ausgebreitet, ein Unwohlsein, wie ein leichtes Fieber. Vielleicht sind das schon die weiblichen Hitzen, hatte sie gedacht, vielleicht ist es jetzt so weit. Sie hatte sich früh hingelegt, aber der Schlaf wollte nicht kommen, und so lag sie dann in ihrem Bett und starrte in die Dunkelheit hinauf und horchte in die Stille hinein. Die Stille in einer Fischerhütte, dachte sie, hört sich anders an als zum Beispiel die Stille im Wald. Oder die Winterstille unterm Schafberggipfel. Oder die Stille, die einem manchmal im Herzen sitzt. Die Geschichte mit dem feschen Fremdenführer hatte sich bald als Irrtum herausgestellt, nichts weiter als eine verwehte Fantasie, und vor wenigen Tagen war der Wirt wieder zudringlich geworden. In der Wirtshausküche hatte er ihr seine Hand in den Nacken gelegt und nach mehr gefragt. Auch diesmal hatte sie mit dem erfundenen Obersturmbannführer Graleitner gedroht, aber der Wirt hatte sich nicht beeindrucken lassen. Warum man diesen Herrn Graleitner eigentlich noch nie zu Gesicht bekommen habe, hatte er gefragt und dabei langsam seine Hand an ihrem Rücken hinuntergleiten lassen. Statt einer Antwort hatte sie das große Knochenmesser aus der Lade gezogen und dem schlagartig erstarrten Wirt mit einem einzigen ruhigen Schnitt vorne die Schürze aufgeschlitzt, die sich daraufhin wie ein schmutziger Vorhang geöffnet und die breiten Lenden des Wirten freigegeben hatte. Danach hatte sie das Messer in die hölzerne Küchenplatte gerammt und war gegangen. Jetzt war sie zwar arbeitslos, aber gar nicht so unglücklich damit. Die Luft war heiß, ihr Körper war heiß, und die Stunden krochen durch die Hütte wie träge Schatten. Als in der Abzugsluke über dem Herd der Mond auftauchte und den Raum mit seinem fahlen Licht füllte, legte sie ihre rechte Hand auf ihr Herz und weinte. Für ein paar Minuten fand sie Frieden, doch dann breitete sich die Unruhe wieder in ihr aus und vertrieb die letzten Tränen. Draußen flatterte ein Vogel aus dem Schilf, schlug mit den Flügeln hart gegen das Wasser und lachte wie ein heiseres Kind. In dem kleinen Fenster zur Seeseite ließ sich das erste Morgenlicht erahnen. Sie stand auf und ging hinaus. Barfuß ging sie zum See hinunter. Das Gras war feucht und kühl. Über die Wasseroberfläche zogen graue Dunstschleier, und dahinter waren die Umrisse des fernen Ufers zu erkennen. Lange stand sie so da, ließ sich die Füße vom Wasser umspülen und sah zu, wie sich der See langsam mit Licht füllte. Ein Schwarm junger Saiblinge flirrte um ihre Knöchel, hoch über ihr segelten Kormorane vorbei, und drüben lösten sich die drei großen Hakenkreuze aus dem Dunst. Die Mutter hörte ihr Herz pochen. Ein kleiner Schauder lief ihr den Rücken hinunter, und obwohl es warm war, zitterte sie. »Mein Bub«, sagte sie und schloss die Augen. »Wo bist du, mein Bub?«

Als Franz aufwachte, musste er lachen. Es war nur ein abgebrochener Laut, gegen die Zimmerdecke hinaufgeworfen, aber es kam ihm vor, als würde dieses Lachen dort oben zerplatzen und an der alten Tapete in alle Richtungen auseinanderperlen. Er blinzelte und rieb sich die Augen. Die Nacht war kurz gewesen. Fast zu kurz, um zu träumen. Einige wenige Traumfetzen hatten sich dennoch in ihn hineinverirrt und schimmerten jetzt noch schwach irgendwo tief in seinem Inneren nach. Schnell nahm er Bleistift und Zettel und schrieb sie mit flüchtig hingestrichenen Worten auf. Er stieg aus dem Bett, zog sich an und ging mit dem Zettel und einer Rolle Klebeband auf die Straße. Der Tag war strahlend heraufgezogen, die Währingerstraße lag in einer weichen Morgensonnenhelligkeit, und die ersten Passanten auf dem Weg zur Innenstadt schoben lange Schatten vor sich her. Franz stellte sich auf die Zehenspitzen, reckte seine Arme in die Höhe und gähnte. Wie immer war er pünktlich zur Ladenöffnungszeit aufgewacht. Was ein richtiger Trafikant ist, braucht keinen Wecker, hatte Otto Trsnjek einmal gesagt, und da hatte er recht gehabt. Franz machte sich daran, den Zettel an die Auslage zu kleben. Ein neuer Traum, ein neuer Tag, dachte er, und die Scheiben müssten auch wieder einmal feucht gewischt werden. Hinter sich hörte er das lauter werdende Blubbern eines Dieselmotors. Von der Votivkirche her näherte sich ein altmodischer, dunkler Wagen und hielt direkt vor der Trafik. Drei Männer stiegen aus, unter ihnen der Beamte mit dem verhärmten Gesicht.

»Wir hatten ja schon das Vergnügen«, sagte er. »Sollen wir uns trotzdem vorstellen?« Franz schüttelte den Kopf. Der Verhärmte zog ein Zigarettenetui aus seiner Manteltasche, holte eine dünne Zigarillo heraus, zündete sie an und beobachtete Franz, wie er mit den Zähnen Streifen vom Klebeband abriss und damit den Zettel sorgfältig an der Scheibe befestigte. Aus dem Motorraum des Wagens drang ein metallisches Knistern. »Na ja«, sagte einer der Männer traurig und wischte mit seiner Hand über das Blech. »Es wird halt Zeit.« Der Verhärmte sah ihn böse an, und der Mann verstummte. Hinter ihnen holperte eine Frau auf einem klobigen Fahrrad übers Pflaster und pfiff bei jedem Pedaltritt leise zwischen den Zähnen hervor. Auf der anderen Straßenseite ging ein Fenster auf, eine Hand mit einer Schere erschien und schnitt einer Geranie ihren Blütenkopf ab. Er plumpste auf das Fensterbrett und fiel von dort auf den Gehsteig hinunter, wo er leuchtend liegen blieb. Der Verhärmte seufzte, ließ seine Zigarillo auf den Boden fallen und trat sie aus. »Dass die Tage jetzt schon in aller Herrgottsfrühe so lang sein müssen«, sagte er mit einem müden Kopfschütteln: »Darf ich bitten?«

»Einen Augenblick noch«, bat Franz. Er beugte sich ein bisschen näher an den Zettel heran und klebte konzentriert einen weiteren Streifen darüber.

»Das hat doch keinen Sinn mehr, Burschi!«, sagte der Verhärmte.

»Was Sinn hat und was nicht, wird sich erst herausstellen«, sagte Franz. »Außerdem heiße ich Franz. Franz Huchel aus Nußdorf am See!«

»Meinetwegen kannst du auch der Franz aus den Tiroler Bergen sein«, sagte der Verhärmte freundlich, »oder der Hans aus Unterfladnitz oder sonst irgendjemand von sonst irgendwoher. Wir machen da keine Unterschiede. Im Hotel Metropol sind alle Gäste gleich. Also gehen wir jetzt, oder muss ich erst grantig werden?«

Franz riss zwei letzte Streifen von der Rolle und zog sie quer über den ganzen Zettel. Er legte seine flache Hand darauf und schloss die Augen. Der Zettel fühlte sich warm an, und es war, als ob die Scheibe darunter atmete, ein kaum merkliches Heben und Senken unter der Handfläche. Als er die Augen wieder öffnete, sah er, dass seine Finger zitterten.

»Ich muss noch zusperren«, sagte er. »Weil wer weiß schon, was sein wird.« Er schloss die Tür und drehte den Schlüssel dreimal um. Als er zwischen den Männern zum Wagen ging, glaubte er hinter sich immer noch das leise Klingeln der Glöckchen zu hören. Aber das ist ja Blödsinn, dachte er und stieg ein.

Fast sieben Jahre später, am Morgen des 12. März 1945, lag eine merkwürdige Stille über der Stadt. Die Nacht hatte sich verzogen wie Rauch und war einem trüben Dämmerlicht gewichen. Im Radio hatte man Gewitter angesagt und der Wind wirbelte den Staub in den Straßen auf und trieb einzelne Zeitungsblätter vor sich her. Seit einigen Tagen waren wieder Gerüchte über neuerliche Bombenangriffe zu hören, alle sprachen darüber, doch niemand wusste Genaueres. Wer nicht unbedingt auf die Straße musste, blieb zuhause oder verbrachte seine Zeit in

Bunkern und Kellern. Nachts schimmerte es da und dort hinter Kellerfenstern in den unbeleuchteten Straßen, und wenn man sich bückte und durch die trüben Scheiben blickte, sah man die flackernden Gesichter von Menschen, die um ein paar Kerzen saßen und schweigend Karten spielten. Die Währingerstraße war fast menschenleer. Auf einer Bank saß eine alte Dame und streute Semmelbrösel zwischen die Tauben, die aufgeregt vor ihren Füßen herumtrippelten. Die Tauben waren die einzigen Vögel, die noch zu sehen waren in den Parks und auf den Straßen. Seit dem letzten Herbst waren alle anderen verschwunden. Eines frühen Morgens hatten sie sich wie auf einen geheimen Aufruf zu großen Schwärmen zusammengefunden und die Stadt in Richtung Westen verlassen. Die alte Dame stieß einen Schreckenslaut aus, als ihr eins der Tiere fast in den Schoß flatterte. Sie ließ das Säckchen mit den restlichen Bröseln in ihrer Manteltasche verschwinden, rappelte sich auf und humpelte leise schimpfend in den nächsten Hauseingang. Vom Gürtel her näherte sich mit schnellen Schritten eine junge Frau. Sie hatte den Kopf gesenkt und die Hände tief vergraben in den Taschen einer viel zu großen Männerjacke, die ihr wie ein Sack von den Schultern hing und bis über die Knie reichte. Als sie ihren Mund öffnete, um mit einem Zischen die Tauben zu verscheuchen, die sich um die letzten Futterreste stritten, waren für einen Augenblick ihre Zähne zu erkennen: klein und weiß schimmernd wie Perlen, mit einer ungewöhnlich großen Lücke genau in der Mitte.

Anezka überquerte die Straße und blieb stehen. Ein

Kohlefuhrwerk kam ihr entgegen. Vorne schnauften zwei Haflinger ihren Atemdampf vor sich her, und auf dem Bock saß der Kohler. Seine Augen blickten dumpf und müde über die Köpfe der Pferde hinweg, zwei helle Flecken in dem schwarzen Gesicht. Mit polterndem Lärm fuhr der Wagen vorüber, und Anezka blickte ihm nach, bis er in die Boltzmanngasse einbog und verschwand. Sie ging am Installationsbüro Veithammer vorbei und gelangte ein paar Schritte weiter vor die Ladenfront der ehemaligen Tabaktrafik Trsnjek. Vom Rahmen der Eingangstür blätterte die Farbe, und die Auslagenscheibe war mit einer feinen Staubschicht bedeckt. Anezka legte ihre Stirn an das Glas und spähte ins Innere. Der Verkaufsraum war leer bis auf die alte Theke, die Wandregale und den Hocker, der wie ein totes Tier mit den Beinen nach oben in der Mitte des Raumes lag. Die Tür an der Hinterseite stand einen Spalt offen, dahinter war es dunkel. Anezka legte ihre Hände und die Wange gegen die Scheibe und schloss die Augen. Für einen kurzen Moment hatte sie das Gefühl, dass die Auslage, der Raum, der Boden, die Luft vibrierten. Sie hauchte gegen das Glas und strich mit dem Zeigefinger langsam zwei Linien durch die beschlagene Stelle. Als sie sich zum Gehen wandte, sah sie den Zettel neben der Tür. Eigentlich war es nur mehr ein Fetzen Papier, von der Sonne ausgegilbt und fast schwarz an den Rändern. Die untere Hälfte fehlte, war weggerissen worden oder hatte sich im Lauf der Jahre einfach gelöst. Der Rest hatte sich nur gehalten, weil er kreuz und quer von mehreren Streifen Klebeband überzogen war. Anezka erkannte die Schrift, ohne sie je zuvor gesehen zu haben.

Sie war verblasst und unter der Staubschicht kaum noch zu lesen, die Buchstaben waren klein und wackelig, fast wie von einer Kinderhand hingekritzelt. Sie beugte sich nah heran und las:

7. Juni 1938
Der See hat auch schon bessere Zeiten gesehen, die
Geranien leuchten in der Nacht, aber es ist ja ein Feuer,
und getanzt wird sowieso immer, das Licht ver

Der Riss ging mitten durch das letzte Wort. Anezka atmete tief ein, dann löste sie behutsam das Klebeband, faltete den Zettel zusammen und steckte ihn in ihre Manteltasche. Noch einmal blickte sie ins Innere der Trafik, doch da war nichts. Sie tippte mit dem Finger sanft gegen die Scheibe und ging. Als sie an der ehemaligen Fleischerei Roßhuber vorbeikam, hatte sie wieder das Gefühl, dass die Luft um sie herum vibrierte. Doch diesmal war es keine Täuschung, und als sie auf Höhe der Votivkirche ihre Schritte beschleunigte und schließlich, so schnell sie konnte, zu laufen begann, war der Himmel längst erfüllt vom rasch anschwellenden Motorengeräusch der alliierten Bomberverbände, die sich wie ein riesiger, dunkler Schwarm von Westen her näherten und die Stadt in Schatten legten.

Jonas T. Bengtsson
Aminas Briefe
Roman | Aus dem Dänischen von Günther Frauenlob
ISBN 978-3-0369-5911-5

Truman Capote
Kaltblütig
Roman | Aus dem Amerikanischen von Thomas Mohr
ISBN 089-3-0369-5903-0

Sir Arthur Conan Doyle
Die Abenteuer des Sherlock Holmes
Geschichten | Aus dem Englischen von Gisbert Haefs
ISBN 978-3-0369-5902-3

Henry Glass
Weltquell des gelebten Wahnsinns
Kolumnen
ISBN 978-3-0369-5907-8

David Nicholls
Ewig Zweiter
Roman | Aus dem Englischen von Simone Jakob
ISBN 978-3-0369-5900-9

David Nicholls
Keine weiteren Fragen
Roman | Aus dem Englischen von Ruth Keen
ISBN 978-3-0369-5901-6

KEIN & ABER POCKET

Gerhart Polt
Kinderdressur
Geschichten
ISBN 978-3-0369-5904-7

Fabio Stassi
Die letzte Partie
Roman | Aus dem Italienischen von Monika Köpfer
ISBN 978-3-0369-5906-1

Philipp Tingler
Fischtal
Roman
ISBN 978-3-0369-5905-4

Kurt Vonnegut
Der taubenblaue Drache
Geschichten | Aus dem Amerikanischen von Harry Rowohlt
ISBN 978-3-0369-5910-8

Alle Pockets sind auch
als eBooks erhältlich.